COLLECTION SCIENCE DE L'EDUCATION

COLLECTION SCIENCE DE L'ÉDUCATION
sous la direction de Daniel Zimmermann

Marie-France Bouchard   Bernard Blot
Louis Porcher

APPRENDRE
A MANGER

LES EDITIONS E S F

17, rue Viète, 75017 Paris

COLLECTION SCIENCE DE L'EDUCATION
Voir en fin d'ouvrage
la liste des titres parus

© *LES EDITIONS E S F* 1978 - ISBN 2.7101.0187.4

TABLE DES MATIÈRES

INTRODUCTION

Notre époque se caractérise, sur le plan des sciences de l'éducation, par la volonté de systématiser l'analyse des processus pédagogiques. Ceux-ci sont désormais conçus comme des totalités, c'est-à-dire comme mettant en jeu un grand nombre d'éléments (paramètres) dont chacun a son importance propre, de sorte que si un seul se trouve négligé ou ignoré, l'ensemble est déséquilibré. Cette analyse systémique (system's approach) permet de décrire complètement les actes pédagogiques, et, par conséquent, de fonder une pratique plus rationnelle et mieux adaptée aux situations. Les facteurs constitutifs des processus éducatifs font l'objet de recensements aussi exhaustifs que possible et, en outre, donnent lieu à une organisation hiérarchisée et fonctionnelle : tous ont un rôle à jouer, mais tous ne possèdent pas la même fonction dans le système.

C'est ainsi que beaucoup de paramètres, autrefois négligés, sont aujourd'hui pris en compte, même si cela ne se fait que lentement et contre de nombreuses résistances conservatrices. A titre d'exemples, citons seulement l'aménagement de l'espace scolaire, l'architecture et le mobilier des établissements, l'organisation des aires de jeux, la mise en place d'instruments d'auto-documentation, l'importance de la sexualité dans les relations à l'intérieur du groupe-classe, etc.

Ce livre se propose de décrire l'un de ces éléments trop souvent cachés du système scolaire : la nourriture des élèves. Ceux-ci en effet sont en train de construire leur corps et, réciproquement, se trouvent construits par lui. Les nourritures spirituelles ne sont jamais indépendantes des nourritures terrestres. L'institution scolaire a tendance à considérer les apprenants comme de simples intelligences, enveloppées certes dans un corps, mais dont le seul intérêt pédagogique est précisément l'aspect intellectuel. A plusieurs reprises d'éminents experts ont stigmatisé un tel manquement : leurs remarques étaient presque toujours justifiées mais, presque toujours aussi, elles sont restées lettre morte.

Le très (justement) fameux rapport Debré-Douady, par exemple, sur la fatigue des écoliers, a été publié en 1962. Quinze ans après, les analyses qu'il contient, les propositions qu'il avance, en sont encore au stade des constatations désolées. De telles illustrations pourraient être multipliées, ce qui n'est pas ici notre propos. Toutes iraient dans le même sens : la pédagogie ne s'intéresse qu'à l'intellectualité, réputée partie noble de l'individu et, en outre (plus gravement), postule une véritable indépendance de l'esprit par rapport au corps. Ce dualisme, dont on voit bien les origines, fonctionne comme un dogme, et les enseignants eux-mêmes se trouvent pris à ce piège.

Sur l'exemple de la nourriture (de la nutrition, de l'alimentation, de la diététique, etc.), ce livre cherche à briser ce cercle, en montrant comment interfèrent toutes les composantes de l'activité pédagogique, qu'on le veuille ou non, *qu'on le sache ou non*. Nous ne prétendons pas traiter autre chose que ce problème précis : la nourriture ; nous affirmons seulement que d'autres analyses du même type et aboutissant à des conclusions pédagogiques convergentes, pourraient (et devraient) être conduites à propos d'autres exemples. Nous proposons, en somme, une *illustration démonstrative,* à la fois concrète et rigoureuse.

C'est pourquoi un travail d'équipe était indispensable : un chercheur, un pédagogue, une diététicienne spécialisée dans le domaine scolaire, se sont donc attaqués ensemble au problème. Celui-ci en effet, de toute évidence, n'appartient pas à un seul domaine de compétence puisqu'il traverse l'activité éducative tout entière. De plus, il ne se pose pas de la même manière à tous les niveaux de la scolarité. Faire le point à son sujet exige donc une répartition des tâches et une conjugaison des savoirs : en cela aussi il nous paraît exemplaire, dans la mesure où, le plus souvent, les questions éducatives majeures sont précisément des questions « transversales ».

L'option que nous avons ainsi choisie, parce qu'elle nous a paru seule adéquate au problème à traiter, nous a amenés à envisager la nutrition sous deux angles fondamentaux : d'abord comme objet d'enseignement, ensuite comme facteur externe du système scolaire (c'est-à-dire comme élément qui influence le travail pédagogique proprement dit sans en faire véritablement partie). Si l'on veut se référer aux catégories traditionnelles, on dira que notre analyse, sur le plan pratique, comprend deux parties : une partie strictement didactique, en sens technique du terme (la nourriture dans les activités pédagogiques de la classe), et une partie que l'on pourrait légitimement appeler « diététique » et qui étudie ce que devrait être l'alimentation optimale des élèves en fonction de leur âge.

Ces deux approches, techniquement séparées, sont cependant complémentaires, et cela se passe de démonstration. Elles ont été unifiées par l'option fondamentale qui nous a guidés et dont nous avons explicité les lignes directrices dans le premier tiers de ce livre. Analyse diététique et analyse didactique convergent dans la mesure où elles reposent sur des hypothèses éducatives identiques. Nous pensons en particulier que, pour accélérer la prise de conscience de l'importance du phénomène, l'institution scolaire constitue un bon instrument. De même que pour convaincre les enseignants de l'importance éducative des media, le plus simple et le plus efficace consistent à faire entrer ceux-ci dans la classe elle-même comme objets d'enseignement, de même le rôle de l'alimentation dans l'activité scolaire apparaîtra clairement si elle devient elle-même un thème pédagogique. Il ne s'agit pas d'infliger aux élèves des cours de diététique, mais d'inclure l'alimentation parmi les problèmes essentiels dont il faut traiter en classe selon les approches pédagogiques habituelles. Ce n'est pas une matière de plus, mais une orientation nouvelle de l'activité classique.

Il est clair, dans ces conditions, que cet ouvrage ne vise pas à être une somme sur la question de l'éducation nutritionnelle. Son ambition n'est ni théorique ni encyclopédique. Il cherche à proposer une initiation à ce domaine relativement peu défriché et, en tout cas, quasi-vierge sur le plan pédagogique. Son intention consiste à *sensibiliser* les enseignants, les parents d'élèves, tous les membres de l'institution scolaire, et aussi tous ceux qui ont à traiter des problèmes de l'enfance et dont l'influence est décisive (animateurs, services sociaux, assistance para-médicale, etc...). Il veut montrer qu'un chemin est ici tracé que nul n'est en droit d'ignorer : son objectif essentiel consiste donc en une incitation à l'action et en une série de suggestions opérationnelles.

Il ne s'agit pas, pour nous, de pragmatisme court et boutiquier, de vendre quelques nouvelles recettes qui meubleraient une mode provisoire. Trop d'officines sont déjà spécialisées dans ce genre de trafic. C'est pourquoi notre propos *est à la fois* réflexif et utilitaire. Nous cherchons à dégager les conditions d'une action cohérente et efficiente : celle-ci ne pourra être telle que si elle prend une dimension collective, c'est-à-dire si l'ensemble des parties prenantes s'y implique réellement. A cet égard le guide d'action que nous avons élaboré trouve sa fonction la plus positive.

Beaucoup des propositions que nous avançons sont directement applicables, et immédiatement vérifiables. Elles s'inscrivent toutes dans une même perspective globale, et c'est de la justesse de celle-ci que nous voudrions convaincre le lecteur. Nous éclairons ses choix, qu'il lui appartient ensuite, et à lui seul, d'affirmer. Au total, c'est d'un outil de travail qu'il s'agit, d'un instrument mis au service des utilisateurs pour faire entrer dans la pratique une démarche pédagogique essentielle et pour l'instant négligée.

Reste une dimension, rarement prise en compte (et cette rareté illustre tristement l'image circulante de l'école), mais qui, pour nous, est fondamentale : manger est, pour beaucoup, un plaisir. L'art de manger, de consommer mais aussi de produire de la cuisine, est un art qui a ses jouissances, son temps, ses aléas, et ses raffinements. Nulle question, ici, de « grande bouffe », mais véritablement, du plaisir de la nourriture, de la dialectique entre le désir et les institutions sociales, de l'incorporation (au sens rigoureux de ce terme) du savoir gastronomique. Aimer se nourrir est un acte culturel qui, comme tel, s'apprend, donc s'enseigne. L'institution scolaire est sans doute, sur ce point, impuissante par elle-même : on peut cependant lui demander, au plus mais aussi au moins, de nous aider à cheminer vers cet horizon.

1

MANGER POUR ÉTUDIER, ÉTUDIER POUR MANGER

l'institution scolaire et la nourriture

L'école est affectée à plusieurs niveaux par les problèmes nutritionnels ; même si elle veut l'ignorer, elle n'est pas en mesure d'y échapper. C'est pourquoi il est essentiel de repérer d'abord les indices qui montrent comment tout système éducatif, indépendamment de toute méthode pédagogique, se trouve confronté au domaine de la nourriture et, donc, comment celui-ci détermine, finalement, l'activité scolaire elle-même.

La nourriture de l'écolier

L'école s'intéressant quasi exclusivement au fonctionnement intellectuel de la population qui lui est confiée, elle fait volontiers l'impasse sur les aspects corporels de la vie de l'apprenant. S'il fallait un exemple, relativement étranger à notre propos, on pourrait citer celui de l'éducation physique dont on sait qu'elle est toujours située, pour les enseignants comme pour les parents d'élèves, au bas bout de la table pédagogique, et cela précisément parce qu'elle est réputée du corps seulement, et surtout parce que celui-ci est supposé d'une part indépendant de l'intellectualité, d'autre part beaucoup moins noble que cette dernière.

Telle est la philosophie spontanée massivement régnante aujourd'hui, même s'il est vrai que de plus en plus ce dualisme rudimentaire perd de ses adeptes. L'intelligence est autonome par rapport au corps : donc l'état de celui-ci est sans influence sur celle-là ; par conséquent, l'école qui a en charge le développement de l'intelligence n'a rien à voir avec ce qui vise le biologique dans l'écolier. La pratique éducative d'aujourd'hui repose pour l'essentiel sur tous ces postulats erronés. C'est la raison majeure pour laquelle les phénomènes nutritionnels n'ont jamais eu droit de cité dans l'univers scolaire sauf sous la forme stéréotypée de la description livresque de l'appareil digestif.

Les choses commencent à changer notamment (mais non exclusivement) grâce à la biologie de l'éducation. Il est d'ailleurs symptomatique (et proprement stupéfiant) de constater que celle-ci est seulement la dernière née des sciences de l'éducation et qu'elle reste pour l'instant affaire de spécialistes. Mais enfin elle existe désormais et, par conséquent, son influence va se faire sentir, à plus ou moins long terme, sur les pratiques pédagogiques elles-mêmes. Les liens de dépendance mutuelle entre l'intelligence et le corps seront mis au jour dans leurs aspects éducatifs eux-mêmes (car il faut remarquer, et cela aussi est un indice, que sur le plan scientifique général, il y a belle lurette que ces liens sont connus et maîtrisés). La biologie de l'éducation est, avec l'économie de l'éducation, le secteur scientifique au sein duquel seront engendrées les plus profondes transformations de la pédagogie.

Il n'y a pas lieu cependant de se montrer d'un optimisme ardent pour l'immédiat. En effet, bien des phénomènes connus et vérifiés depuis longtemps n'ont encore jamais été pris en compte par l'institution scolaire. Nous citerons un seul exemple, volontairement d'une extrême banalité : il est établi que, pour un enfant de l'école primaire, le temps écoulé, sans nourriture, entre son départ matinal de la maison et son repas de midi, est beaucoup trop long pour être sans effet. En particulier, vers la mi-matinée, se produit un phénomène d'hypo-glycémie facilement décelable expérimentalement. On a mis en évidence, vérifié, prouvé, que cette hypo-glycémie affecte incontestablement les performances intellectuelles scolaires : aucun doute n'est permis à qui que ce soit sur les résultats obtenus. Il suffit de supprimer l'hypo-glycémie en faisant absorber par l'enfant, vers le milieu de la matinée, deux morceaux de sucre par exemple pour que les performances intellectuelles s'améliorent. Une carence biologique entraîne une carence intellectuelle.

Or, l'expérimentation montre que cette carence biologique est d'origine alimentaire. Elle tient au déséquilibre créé par l'insuffisante proportion de glucose par rapport aux autres composants nutritionnels. C'est l'équilibre global de l'organisme, c'est-à-dire son fonctionnement normal (conforme à ses caractéristiques génétiques innées) qui s'en trouve affecté. Le défaut d'alimentation constitue bien la cause du phénomène. Par conséquent, il ne suffit pas qu'une alimentation soit quantitativement suffisante (du point de vue de la faim qu'éprouve le sujet), il faut qu'en outre elle soit équilibrée, organisée en fonction de la composition nutritive des aliments eux-mêmes.

Cette expérience classique sur les conséquences intellectuelles de l'hypoglycémie des écoliers au milieu de la matinée n'a jamais entraîné de modifications pédagogiques destinées à corriger le phénomène. Et d'ailleurs, même quand on cherche à prendre cela en compte dans l'organisation du travail scolaire, on le fait sur le plan purement intellectuel : par exemple, on modifie la répartition des matières à l'intérieur d'une journée d'enseignement ; on remplace éventuellement une heure d'enseignement réputé difficile, important, et gros consommateur d'énergie intellectuelle (les mathématiques peut-être) par une heure d'enseignement supposé plus facile, moins essentiel et moins fatigant (la musique ou le dessin, ou, même, l'éducation physique).

Jamais n'a été prise la seule décision qui serait rationnelle, c'est-à-dire qui traiterait le problème dans ses causes et non dans ses effets, à savoir dans ses racines nutritives et non pas dans ses manifestations intellectuelles : celle qui consisterait à distribuer deux morceaux de sucre aux écoliers vers le milieu de la matinée. Dans notre système, une telle décision serait immédiatement interprétée comme étant pédagogiquement sans valeur : on la prendrait pour un gadget médical. Au contraire il faut insister avec une particulière fermeté sur l'affirmation suivante, contre tous les doctrinaires, même réputés progressistes : le rééquilibrage glycémique des écoliers au cours de la journée d'enseignement est un acte hautement et directement pédagogique ; il introduit en effet une véritable transformation dans les processus mêmes de l'apprentissage et, en outre, aucune modification des méthodes d'enseignement ne pourrait parvenir à un résultat comparable.

Il faut donc espérer un développement rapide de la biologie de l'éducation et militer pour lui. Les apprenants sont d'abord des corps, même dans leur intelligence proprement dite, et ces corps doivent fonctionner correctement pour qu'un enseignement efficace soit mis en place. Or ils ne fonctionnent correctement que s'ils ont été nourris correctement, c'est-à-dire par une nourriture suffisante quantitativement et qualitativement : à la fois satisfaisante en volume et nutritionnellement équilibrée. Une institution scolaire véritablement efficiente et adaptée à son rôle exige un effort *préalable* pour que ces conditions biologiques soient remplies chez tous les écoliers.

C'est pourquoi il est *impossible* de ne pas introduire dans le système de notre école des spécialistes de la nutrition, capables de jouer, dans le domaine considéré, un rôle analogue à celui des psychologues scolaires dans un autre secteur. Le travail de ces diététiciens scolaires serait d'ailleurs beaucoup plus facile et plus intégrable pédagogiquement que celui de leurs collègues psychologues, précisément parce que la biologie est une science plus assise que la psychologie, et nettement moins marquée sur le plan idéologique. Il est clair en tout cas que, pour l'instant, l'existence rarissime de tels spécialistes dans le contexte scolaire constitue un très lourd handicap pour notre système éducatif et contribue à rendre peu opérantes les diverses modifications méthodologiques que l'on essaie d'introduire dans celui-ci. La biologie de l'éducation n'est pas *la* solution aux problèmes de notre institution scolaire, mais, complémentairement, aucune solution authentique ne pourra être élaborée sans elle.

Chacun devrait le savoir et, sans doute, le sait, mais n'en tient pas compte précisément à cause de cette représentation philosophique erronée des relations entre le corps et l'esprit. Toutes les enquêtes ponctuelles ou massives, ont pourtant mis en évidence les corrélations extrêmement étroites entre les carences alimentaires et les échecs scolaires. A l'extrême de cette position, la malnutrition qui règne dans certains pays du tiers-monde paralyse, pour une part, les efforts éducatifs faits par ceux-ci. La notion de handicap scolaire, très étudiée depuis quelques années, doit être analysée aussi sous l'angle biologique : une de ses racines, en effet, se trouve là et cela est d'autant plus vrai que, statistiquement, les carences nutritionnelles sont presque toujours liées aux diverses carences socioculturelles.

La biologie humaine n'est jamais indépendante de la sociologie. La « nature » purement physique est toujours incarnée dans le corps d'un homme qui, lui, est situé dans une société, et celle-ci exerce une influence importante sur celui-ci. Autant il est irresponsable d'ignorer ou de négliger l'action du corps biologique sur l'être psychique, autant il serait absurde (d'un scientisme benêt) de ne pas connaître l'influence du psycho-sociologique et du socioculturel sur le biologique. La médecine psycho-somatique, la sociobiologie (montrant, par exemple, que la malnutrition d'une mère pendant la grossesse inscrit des handicaps *biologiques* chez le futur enfant : et, comme on sait, la malnutrition n'est pas équitablement répartie entre les divers groupes sociaux) en constituent des preuves constantes. Cette relation *dialectique* entre le biologique d'une part, le psychologique et le sociologique d'autre part, dessine le lieu *exact* où doit s'exercer le travail pédagogique. L'intervention de l'institution scolaire reçoit ainsi sa définition la plus juste. Pour l'instant, c'est le moins que l'on puisse dire, nous n'en sommes pas là.

La nourriture dans l'environnement

Toute institution scolaire est souvent décrite comme étant en retard par rapport à l'état des connaissances à un moment donné et, plus généralement, par rapport à l'état du monde dans lequel elle est insérée. Ce pourquoi elle est définie comme conservatrice. Et cela est vrai, bien qu'il ne faille pas se laisser prendre au piège rhétorique selon lequel il pourrait exister une école parfaitement adéquate à son temps, voire légèrement en avance sur lui : constitutionnellement, l'Ecole est en retard, et il ne saurait en aller autrement. Il convient cependant de faire en sorte que cet écart inévitable ne devienne pas un fossé, un abîme même, l'institution scolaire étant alors totalement anachronique par rapport à son époque et, par conséquent, soit nuisible, soit, au mieux, inutile.

Or, c'est ce qui est en train de se passer dans notre système éducatif vis-à-vis des problèmes de l'environnement en général, au sein desquels les questions nutritionnelles jouent un rôle essentiel. Dans notre société de très nombreux mouvements se sont créés pendant les années récentes à propos des préoccupations écologiques. Il n'entre pas dans notre objectif, ici, de porter un jugement sur eux : nous soulignons seulement que cette multiplicité traduit une tendance profonde de notre époque, une inquiétude, peut-être globale et confuse mais incontestable, vis-à-vis de ces problèmes.

La défense de l'environnement, la lutte contre la pollution, les actions contre l'introduction d'éléments chimiques dangereux (colorants) dans la nourriture industrielle, les interventions contre l'élevage artificiel des animaux de boucherie, la création des associations de consommateurs, la défense des sites, etc. sont des marques de ce souci. Parallèlement, la lassitude de la vie citadine, bruyante, abêtissante, déshumanisée, la grogne contre le travail robotisant de l'usine, l'horreur du métro-boulot-dodo et, en *conséquence,* le refuge vers la vie à la campagne dans de « petits » métiers artisanaux mettant en contact avec la nature même, etc., constituent d'autres indices de ce phénomène.

Dans cet ensemble la sensibilité aux questions d'alimentation et de nutrition tient une place essentielle. L'une des revendications majeures consiste en la recherche de produits alimentaires « sains », c'est-à-dire naturels, non pollués et aussi convenant à un fonctionnement biologique optimal. La nourriture dite « macrobiotique » incarne l'exemple-type de cette attitude. Ce qui est ici mis en évidence, c'est la liaison entre l'état du corps et les produits que l'on ingère ; ce qui est sous-entendu (et parfois explicite) c'est la relation entre une telle bonne santé (naturelle et engendrée par des produits naturels) et une intelligence aiguë, une affectivité épanouie, un esprit ouvert et libéré.

Le rapprochement avec la nature est, en même temps, le rapprochement de l'homme avec sa propre nature (organique). La notion majeure de l'écologie est celle d'équilibre et, plus précisément, d'équilibre naturel. Par une vie « naturelle », de laquelle fait partie une alimentation « naturelle », l'individu retrouve son corps « naturel » (conforme à ce qui est biologiquement inné) et, à titre de conséquence, conquiert la forme véritable du bonheur humain. Ce nouveau rousseauisme compte désormais des militants de plus en plus nombreux, et de nombreux indices (par exemple l'augmentation des vacances à la campagne par rapport à celles que l'on passe à la mer et à la montagne, ces deux dernières étant en effet de plus en plus polluées, c'est-à-dire éloignées de l'existence naturelle) confirment que les mouvements écologiques représentent autre chose qu'une mode.

Une telle prise de conscience sociale, beaucoup plus forte aux Etats-Unis qu'en France (autre symptôme intéressant) amorce une transformation inéluctable des attitudes et des mentalités à propos du vieux problème des rapports de l'homme avec le milieu. L'institution scolaire ne saurait donc rester indifférente à un phénomène aussi profond. Elle a toujours eu, parmi ses charges affirmées, l'élucidation des relations entre l'homme et le milieu (et chaque enseignant connaît l'importance pédagogique accordée à ce que l'on appelle depuis longtemps précisément « l'étude du milieu »).

En outre, qu'elle le veuille ou non, la cité scolaire sera irriguée par les mouvements écologiques car ceux-ci imprègnent désormais les mentalités, même chez ceux qui ne sont pas d'accord avec leur analyse. Elle n'échappera donc pas au problème, et si elle ne se décide pas à le traiter, d'autres le feront à sa place. Un signe, parmi d'autres, ne trompe pas : plusieurs journaux se donnant pour but d'informer et de défendre les consommateurs se sont créés dans les années récentes, et leur diffusion ne cesse de croître. Il en va de même pour les journaux écologiques proprement dits. En somme, toutes les caractéristiques d'une « école parallèle » consacrée exclusivement à ces problèmes se trouvent manifestement réunies ou en train de se mettre en place.

L'institution scolaire est donc contrainte d'affronter le phénomène et de le traiter. Le thème de l'alimentation et de la nourriture constitue à cet égard une bonne entrée dans la mesure où il permet de poser l'ensemble des questions parcourues ci-dessus. Une grave erreur consisterait à croire que ce thème est seulement l'un des thèmes traditionnels que l'Ecole prend en compte depuis longtemps (et connus, jadis, sous le nom de « centres d'intérêts »). Il ne s'agit pas d'un nouveau contenu d'enseignement, mais d'une transformation culturelle que l'institution explicitement chargée de la diffusion de la culture n'a donc pas le droit d'ignorer.

En un premier temps, le travail de la communauté enseignante consiste à étudier selon quelles modalités optimales faire entrer à l'école et traiter pédagogiquement les problèmes de l'alimentation et de la nourriture. Il est clair en effet que c'est la seule voie à suivre, la question de savoir si le système scolaire doit ou non intégrer ce phénomène ne se posant même plus. Tout indique que l'écologie dans son ensemble constitue un nouveau défi lancé par la force des choses à l'institution éducative, comme l'ont été autrefois les sciences expérimentales et plus récemment les media. C'est à cette situation que l'école doit s'adapter, mais il lui appartient en propre de déterminer comment.

Encore faut-il qu'elle le fasse, c'est-à-dire, d'abord, qu'elle se mette à l'écoute de « l'air du temps », qu'elle ne soit pas sourde aux rumeurs du siècle. Elle n'aura une chance d'y parvenir que si elle envisage le problème sous l'angle par lequel il touche le plus directement le plus grand nombre d'individus. C'est pourquoi la nourriture, l'alimentation, et tous les facteurs nutritionnels, fournissent de toute évidence le terrain pédagogique le plus propice et potentiellement le plus fécond. Personne en effet ne leur échappe, bien que personne ne les vive de la même façon.

Dans cette perspective, il convient de considérer ces problèmes dans leur véritable ampleur, en évitant de les ramener aux catégories disciplinaires classiques du système scolaire, même s'il est vrai que celles-ci ont à intervenir. La nutrition ne se réduit évidemment pas à un événement biologique : elle constitue une dimension exactement essentielle et constamment présente de la vie humaine, et, d'une manière générale, elle concerne l'existence de la planète entière. Ce que l'école doit donc prendre en compte, à sa manière, c'est précisément tout ce que les mouvements écologiques mettent en branle sur le plan de la nourriture, tant en ce qui concerne les aspects bio-physiologiques que les aspects sociaux et même les caractéristiques géo-physiques du phénomène.

Parce qu'elle est un corps social, l'institution éducative n'est jamais indépendante des conditions sociales dans lesquelles elle exerce son action. L'apparition des questions nutritionnelles, comme des questions proprement culturelles et des faits de civilisation, la place dans une situation nouvelle à propos de laquelle elle ne dispose d'aucun modèle préexistant. Deux choses, et deux choses seulement, peuvent alors se passer : ou bien la communauté enseignante fait l'épreuve de la lucidité et s'adapte à ce nouveau contexte qui ne dépend pas d'elle (au moins pour l'instant) et, dans cette hypothèse, elle se transforme suffisamment dans ses habitus, pour traiter le problème. Nous verrons, dans le chapitre suivant, qu'il n'y a là rien d'impossible ni même de réellement difficile.

Ou bien elle se comporte comme puissance établie, inconsciente de tout ce qui n'est pas elle, et elle laisse sur le seuil de la classe le phénomène considéré. C'est alors que se produira le plus grave danger que l'on puisse redouter en cette affaire. En effet, qu'elle le veuille ou non, l'école sera envahie, précisément parce qu'il s'agit de la force des choses. Elle risque alors, comme elle l'a déjà fait à plusieurs reprises, de vouloir purement et simplement digérer le phénomène nutritionnel, en l'adaptant à elle au lieu de s'adapter à lui et en négligeant la dimension écologique.

Elle le transformera, du coup, en une série d'informations à emmagasiner, peut-être même en une nouvelle discipline. Elle le compartimentera en l'insérant dans le grand moule cloisonnant dont elle use constamment. Elle le dénaturera donc et se trouvera complètement à contre-temps et à contre-sens. C'est cela qu'il nous appartient d'éviter, en situant véritablement les attitudes souhaitables et les comportements possibles de l'institution scolaire tout entière devant ce nouveau trait de la civilisation contemporaine, quelles que soient nos opinions sur celle-ci.

une pédagogie de l'éveil

Par leur nature même, les problèmes de nutrition et d'alimentation s'inscrivent pédagogiquement dans le cadre des activités d'éveil, au moins en ce qui concerne l'enseignement obligatoire. Celles-ci possèdent en effet un certain nombre de caractéristiques qui les rendent particulièrement aptes à prendre en charge les questions concernées ici. Elles ont un double objectif : d'une part la formation intellectuelle de l'élève, d'autre part l'expression libre de celui-ci par lui-même. Atteindre le premier but consiste non pas à faire mémoriser des connaissances et des informations comme le faisait l'école traditionnelle, mais à doter l'élève des outils intellectuels (logiques, conceptuels) nécessaires à l'acquisition même de tout savoir et à la maîtrise du monde qui l'entoure.

Il s'agit, en somme, d'un enseignement instrumental. Mais celui-ci, à lui seul, serait insuffisant. Il importe en même temps d'offrir à l'enfant la possibilité et les moyens de s'exprimer lui-même, d'extérioriser ce qu'il ressent et souhaite manifester. Les deux objectifs de l'éveil se trouvent donc complémentaires et ils doivent être poursuivis de pair. Cela impose une certaine forme pédagogique, que l'on peut résumer sous l'appellation désormais classique de « méthodes actives ».

Une telle pédagogie qui, sous des modalités diverses a reçu ses lettres de noblesse chez PIAGET, FREINET, Maria MONTESSORI, DEWEY, DECROLY, etc., repose sur l'initiative de l'apprenant et, par conséquent, suppose un enseignement ancré dans le milieu de vie des élèves eux-mêmes. Il faut *partir* de ce milieu, c'est-à-dire à la fois s'y enraciner et le dépasser. Les enfants ne peuvent travailler activement que sur des problèmes qui les concernent directement, mais en même temps ils doivent élargir leur champ d'expérience précisément pour acquérir l'équipement intellectuel mentionné ci-dessus, seul capable de développer en eux l'aptitude au transfert, c'est-à-dire à la généralisation. Contrairement à ce qu'affirme une certaine pédagogie angélico-mystificatrice (et mystifiée), l'école n'a pas seulement à donner aux enfants les moyens de connaître leur milieu et de se repérer en lui : il lui incombe aussi (et surtout) de les aider à construire des grilles d'analyse du monde, des outils méthodologiques susceptibles de s'adapter à toute situation, une armature logique de portée générale.

Cela entraîne également une attention particulière dirigée vers l'individualisation de l'enseignement. Il faut conduire tous les élèves vers le même objectif, mais tous ne partent pas du même endroit : ils ont donc des trajectoires d'apprentissage différentes, correspondant à des expériences diverses et individuelles. C'est pourquoi l'éveil ne constitue pas une matière à enseigner, une discipline, une tranche horaire de l'emploi du temps scolaire. Il se définit bien plutôt comme une attitude ; il décrit une perspective, un mode de relation avec le savoir, avec le monde, avec les autres et, par conséquent, un certain type de conduite de la classe.

Enfin, et cela dérive logiquement de tout ce qui précède, les activités d'éveil sont nécessairement transversales par rapport au cloisonnement des disciplines d'enseignement. Elles prennent leur véritable signification formatrice à l'intérieur d'une perspective interdisciplinaire. Nul n'ignore, certes, les difficultés empiriquement insurmontables auxquelles s'est heurtée l'interdisciplinarité lorsqu'on a voulu l'introduire dans la citadelle scolaire, mais chacun sait également qu'elles sont surtout d'ordre institutionnel et idéologique. Fondamentalement, l'interdisciplinarité reste une visée essentielle d'une pédagogie démocratique. En tout cas, s'il est impossible de l'instaurer dans sa réalité la plus profonde, il faut au moins s'en rapprocher sous la forme d'une authentique collaboration des disciplines, c'est-à-dire d'une mise en commun des diverses approches que l'école met en jeu. L'éveil se situe précisément à cette rencontre : il amène à cette collaboration, à cette fracture des cloisonnements lorsque ceux-ci ne correspondent à aucune spécificité méthodologique.

Pour tenir compte de l'ensemble de ces facteurs, l'enseignement est inévitablement amené à privilégier une pédagogie par thèmes, ceux-ci correspondant à l'expérience vécue des enfants et permettant de la dépasser, disponibles pour une méthode active et susceptibles de donner lieu à cheminements individuels. La perspective thématique caractérise massivement la pédagogie de l'éveil. Dans ces conditions, les problèmes de nutrition et d'alimentation constituent un cadre exemplaire pour l'instauration d'activités d'éveil multiples. Bien entendu, nous ne parlons plus ici de leur valeur éducative générale (examinée au paragraphe précédent). En effet, outre celle-ci, ils possèdent tous les traits essentiels d'une pédagogie thématique centrée sur l'éveil. C'est donc selon ces lignes de force qu'ils doivent être analysés et, surtout, mis en pratique.

1) L'alimentation constitue bien un ancrage dans le milieu de vie des élèves. Ceux-ci, tous, mangent et ont affaire aux problèmes de nourriture. Il n'y a donc pas pour eux étrangeté, mais, au contraire, expérience vécue et authentique.

2) Chacun d'entre eux en a une expérience différente : personne ne mange comme personne. Les habitudes alimentaires sont liées aux possibilités économiques d'abord, au statut socio-culturel ensuite, aux préférences individuelles enfin (dans lesquelles interviennent notamment des paramètres biologiques).

3) La consommation d'un aliment n'est qu'un moment ponctuel dans une longue chaîne logico-sociale, allant de la production à l'ingestion en passant par la commercialisation, la transformation, etc. C'est donc la possibilité de dépasser le milieu immédiat de vie pour forger des outils intellectuels de portée générale.

4) Pour cette raison même, nous avons bien affaire à un thème pluridisciplinaire, où de nombreux secteurs de la connaissance se trouvent convoqués. Nous aurons à revenir longuement sur ce point.

5) Une méthode active est à la fois parfaitement adéquate à un tel thème et facile à mettre en pratique pédagogiquement. Des enquêtes individuelles et collectives, conduites par les élèves eux-mêmes, constituent notamment une approche fructueuse des divers aspects de la question : de multiples domaines peuvent être ouverts à ces enquêtes, précisément parce que chaque élève a une expé-

rience directe du thème et que la nourriture est un phénomène massivement présent dans la vie quotidienne, sous des formes très diverses.

6) Enfin, il s'agit bien d'un problème capital de l'existence humaine et, à ce titre, son étude est propice à la décentration de l'apprenant, c'est-à-dire à son éveil véritable au monde qui l'entoure.

Au total, nous avons bien affaire à un thème majeur pour une pédagogie de l'éveil. Les questions qui se posent à son propos et auxquelles les élèves doivent être amenés à répondre s'inscrivent toutes dans l'ensemble des connaissances qu'il importe de maîtriser pour parvenir à une véritable activité responsable par rapport à l'environnement naturel et humain. Nous ne visons pas ici à les recenser exhaustivement, mais nous en énumérerons quelques-unes parmi les plus importantes, pour guider la réflexion pédagogique ; on constatera ainsi que toutes les matières actuellement enseignées dans l'institution scolaire, plus quelques autres, sont nécessaires pour maîtriser l'ensemble du domaine. Bien entendu, l'ordre que nous proposons n'est nullement hiérarchique : les sous-thèmes dégagés peuvent être abordés de multiples façons, selon le contexte même de la classe.

Pourquoi manger ?

Les nécessités biologiques, la perduration et l'entretien d'un organisme vivant, sont ici à élucider. Il n'y a pas de vivants qui ne s'alimentent pas. On parvient bien à la mise en évidence d'une loi naturelle, c'est-à-dire d'une constance de la matière. La question posée conduit donc à une autre, enfermée en elle : qui mange ? Y a-t-il des organismes qui ne se nourrissent pas ? Que se passe-t-il lorsqu'un être vivant cesse de s'alimenter ?

Quoi manger ?

Il convient de définir la notion de produit comestible et, à ce sujet, de très nombreuses variables doivent être prises en compte, parmi lesquelles :

a) La liaison entre la nourriture et l'espèce. L'alimentation change selon les appartenances. On peut réactualiser ici les vieilles catégories, non périmées, des herbivores, carnivores, frugivores, omnivores, etc.

b) La spécificité humaine. Les hommes sont les seuls à produire de la nourriture, à faire des expériences nutritionnelles.

c) Les variations ethnologiques. Tous les peuples n'ont pas les mêmes goûts sur le plan alimentaire. Il y a une géographie de la consommation nutritionnelle. Se nourrir n'est donc pas un phénomène purement biologique : il possède en même temps des racines culturelles indiscutables. Les élèves doivent ici maîtriser la diversité des cultures, la relativité des goûts et des habitudes, même pour des comportements apparemment naturels. Cette égale dignité des comportements différents constitue l'un des aspects essentiels de l'éducation civique que seules les activités d'éveil peuvent prendre en charge.

d) Les variations sociales. Dans une même société nationale, l'alimentation diffère selon les milieux et les appartenances socio-culturelles. Bien entendu, il convient de faire intervenir ici le phénomène majeur, qui est de type économique : la nourriture n'est pas, ou n'est plus, un héritage naturel et qui serait, comme tel, gratuitement accessible à tous. Elle est un produit économique, un bien, et par conséquent elle s'achète et se vend. Il y a donc inégalité devant elle, entre les hommes. Les plus riches peuvent consommer des choses qui sont refusées aux plus pauvres. Cela signifie, en même temps, que la nourriture est bien un produit social, à propos duquel se créent, se perpétuent, se renforcent, se manifestent, les différences entre les couches sociales. L'inégalité économique engendre une diversité sociale. De plus, outre les variations d'origine économique, se sont introduites des différences purement sociales de comportements alimentaires (dont les interdits religieux ne constituent qu'un exemple extrême).

e) Les variations historiques. La façon de se nourrir change au cours des temps, pour un même pays. Il y a des choses que l'on mangeait autrefois et que l'on ne mange plus ; les huîtres en Bretagne, par exemple, comme l'a bien montré Pierre Jakez HELIAS. Cela confirme encore que l'alimentation n'est pas un simple phénomène biologique lié à la définition strictement physiologique d'un individu ou d'une espèce.

f) Les variations de solennité. Beaucoup de rites entretiennent d'étroites relations avec l'alimentation. Telle fête est corrélative de telle nourriture (Noël et la dinde), tel événement est l'occasion de tel comportement nutritionnel.

g) Les variations liées au développement individuel. La nourriture se transforme en fonction de l'âge des individus concernés. Le nourrisson (mot significatif) ne s'alimente ni comme l'adolescent, ni comme le vieillard, ni même comme le petit enfant. Tout n'est pas bon pour n'importe qui.

25 L'ensemble de ces facteurs (et bien d'autres seraient à examiner)

montre bien que la notion de nourriture et celle de comestible ne se recoupent nullement. Entre ce qui peut physiologiquement être mangé et ce qui l'est réellement il y a toute la différence de la nature à la culture : ce clivage constitue l'une des dimensions fondamentales de l'équipement intellectuel dont l'école, par les activités d'éveil, doit doter l'élève.

OÙ MANGER ?

La nourriture est un phénomène biologico-social tellement décisif que des lieux lui sont attribués, réservés. La restauration marque toute notre vie sociale (et, par conséquent, notre existence individuelle) : les restaurants sont une institution, mais celle-ci est multiple. Le restaurant tout court ne se confond pas avec le restaurant d'entreprise, le restaurant universitaire, le restaurant de train, la cantine, etc. On ne se nourrit pas en avion comme dans un snack-bar.

Chacun, en outre, possède chez soi un lieu dévolu exclusivement à la cuisine (comme acte de préparer la nourriture) et la restauration (comme acte de consommer la nourriture). Ce n'est pas identique de manger à la cuisine ou à « la salle à manger », et en général on n'y mange pas la même chose ni avec les mêmes personnes.

QUAND MANGE-T-ON ?

Là encore de nombreuses variables seraient à explorer. Selon les pays, la journée est diversement scandée par les repas. Faible petit déjeuner, déjeuner léger, dîner abondant, ou l'inverse. Les heures elles-mêmes changent en fonction de l'organisation sociale : les Américains dînent très tôt par rapport aux Français qui eux-mêmes considèrent que les Espagnols dînent très tard. Selon le type de travail que l'on exerce, le temps dévolu à la nourriture se répartit diversement : la journée continue diffère du système des trois-huit qui, à son tour, n'est pas identique aux deux demi-journées séparées par une longue pause-repas. Les phénomènes alimentaires, sur ce plan, sont très étroitement liés aux conditions socio-professionnelles d'existence : ils ne sauraient en être séparés et il faut les étudier ensemble. En dehors de cet aspect (c'est-à-dire lorsqu'il n'y a pas de contraintes socio-économiques drastiques) les moments des repas ne sont guère laissés à l'aléatoire social ou à la libre initiative individuelle. Dans un pays donné, à une époque donnée, et mises à part quelques catégories sociales relativement marginales (du type « noctambules »), le temps des repas est fixé avec une forte stabilité : un espace temporel de deux heures enferme la quasi-totalité des « mangeurs » à un certain moment de la journée.

Les vacances sont d'ailleurs parfois le symbole d'une libération de ce consensus social tacite : parmi les multiples subversions auxquelles elles donnent lieu figurent la perturbation des horaires de repas et la transformation même des modalités de la « restauration ». En tout cas, d'une manière générale, le « temps de la nourriture » est de nature biologico-sociale. Notre horloge organique chrono-biologique est d'ailleurs elle-même marquée par les *habitus* sociaux, comme l'ont montré toutes les recherches récentes sur les principaux rythmes de l'existence physiologique. L'élève se trouve ici, et c'est essentiel, au cœur même de la pluridisciplinarité.

D'où vient ce que l'on mange ?

Deux aspects, étroitement corrélatifs, doivent ici être développés (et pédagogiquement intégrés).

a) La production même de la nourriture. L'agriculture constitue, en principe, la source majeure de notre approvisionnement alimentaire. Historiquement, elle a même très longtemps été l'origine unique de nos ressources nutritionnelles. Il faut donc mettre en évidence les conditions mêmes de la production, son évolution, ses caractéristiques, les moyens mis en jeu et les modes de vie qu'ils impliquent. Pour beaucoup de nos élèves, la vie paysanne moderne est une inconnue parce qu'elle ne correspond guère à une expérience vécue. Il importe par conséquent de la leur faire comprendre par l'intermédiaire d'un phénomène qui, lui, constitue un vécu authentique. Le thème alimentaire nous paraît être, à cet égard, une arme pédagogique sans rivale.

Les diverses sortes de production nourricière (cueillette, ramassage, ensemencement, plantation) doivent être décrites et distinguées. L'industrialisation de l'agriculture avec les conséquences qu'elle entraîne sur l'organisation des paysages, la structure des travaux fermiers, l'allure des villages (disparition progressive des animaux), la place de la paysannerie dans le pays, sera mise en évidence dans ses relations avec les transformations générales de la vie française. Bien entendu, sur tous ces points, une perspective géographique et une approche historique sont nécessaires pour compléter la description. L'industrialisation massive et hyperrationalisée de l'agriculture américaine (liée aux conditions économico-géographiques des Etats-Unis) s'oppose par exemple aux modes de culture à l'œuvre dans le Sahel. Il ne s'agit pas de comparer pour comparer, mais de faire apparaître en quoi la production agricole de biens alimentaires obéit à un certain nombre de caractéristiques contextuelles variables (cf. paragraphe 6).

Mais il faudra insister aussi sur les transformations très profondes introduites par notre siècle dans la production elle-même. Désormais en effet, l'agriculture n'est plus la seule source : on fabrique des aliments artificiels, synthétiques, doués de certaines propriétés nutritives et, en tout cas, modifiant les habitudes alimentaires de la population. Les conséquences écologiques, médicales, sociologiques, peuvent en être soulignées sur des exemples précis : celui des troubles dentaires, dont on sait aujourd'hui qu'ils dépendent étroitement du régime nutritionnel suivi. La nourriture étant devenue un objet fabriqué comme les autres, sa fonction biologico-sociale en est évidemment affectée. La mise en perspective historique sera, à cet égard, particulièrement éclairante.

b) Il ne suffit pas que de la nourriture soit produite, il faut en outre la distribuer, c'est-à-dire la faire passer des producteurs aux consommateurs. Des circuits divers existent à cet effet. Les élèves ont besoin de savoir quels ils sont et quels rôles ils jouent. Une fois encore, l'alimentation apparaît comme non exclusivement liée à des caractéristiques de type biologique : elle s'inscrit toujours dans une certaine organisation sociale (quelle qu'elle soit), qui lui confère des traits spécifiques. Petits commerçants et grandes surfaces, associations de consommateurs, grossistes et détaillants, tels sont quelques-uns des thèmes à envisager sous leurs différents angles. L'important consiste à bien mettre en évidence comment chaque individu, même et surtout s'il ne le sait pas, subit les effets de ce système et se trouve donc concerné par lui, dans la mesure même où il se nourrit.

LES CONDITIONS « NATURELLES » DE L'ALIMENTATION.

Plusieurs niveaux sont, ici aussi, à mettre en jeu sur le plan pédagogique.

a) Les conditions géographico-géologiques. La nature du sol, le climat (par exemple), déterminent les possibilités de culture en en interdisant certaines (sauf transformations techniques du milieu naturel, comme c'est le cas actuellement dans de nombreux pays du golfe persique). De toute façon, un déterminisme s'exerce et c'est pédagogiquement l'essentiel.

b) Les conditions sociologiques : la démographie, notamment (nombre et répartition de la population) joue un rôle décisif sur l'organisation de la production alimentaire, comme on le voit très clairement dans l'évolution de pays du tiers-monde. Partout, en outre, la mécanisation et l'industrialisation de l'agriculture entraînent une diminution de la population qu'il est nécessaire d'y consacrer.

c) Les conditions botanico-zoologiques. La production agricole est exclusivement de type végétal ou animal. Elle est donc inévitablement soumise aux caractéristiques naturelles des plantes ou des bêtes sur lesquelles elle s'appuie. Le blé ne pousse pas « naturellement » sous un climat polaire. Ces conditions botanico-zoologiques sont étroitement liées aux conditions géographico-géologiques mentionnées ci-dessus, mais elles doivent en être soigneusement distinguées, précisément parce qu'il s'agit de mettre en évidence *l'articulation* entre les deux. Là encore on fera apparaître les possibilités d'intervention humaine et leurs conséquences. Les biologistes, botanistes, zoologistes, parviennent progressivement à manipuler le patrimoine génétique d'une espèce donnée : on a produit ainsi des animaux (bovins notamment) d'un type nouveau ou, par exemple, des céréales particulièrement adaptées à tel ou tel type de climat et susceptibles d'un rendement spécial.

Tel est donc le panorama d'ensemble du thème de l'alimentation comme modalités générales des activités d'éveil. Il est clair que nous en avons seulement ici esquissé quelques lignes directrices, à titre d'exemplification. Elles suffisent à montrer la richesse proprement didactique de ce thème. En particulier, on voit apparaître avec une netteté frappante les liaisons multiples avec la vie quotidienne des élèves (quels que soient leur âge et leur niveau scolaire), la place majeure qui peut être ainsi conférée aux méthodes actives, et surtout la pluralité exemplaire du thème : toutes les matières sont convoquées, et il appartient à l'enseignant de les articuler entre elles puisque de là découle la formation intellectuelle même de l'élève. C'est pourquoi la nourriture nous paraît constituer un pôle d'intérêt pédagogique véritablement central et caractéristique d'une authentique transformation de l'enseignement. Il est clair pour nous qu'une réelle mutation, indispensable, des pratiques et des finalités de notre institution scolaire passe nécessairement par l'émergence de tels thèmes, à la fois transversaux et de portée universelle. C'est une *compétence* nouvelle qui se trouve ainsi conférée à l'apprenant.

Nous avons passé sous silence, parce qu'elles vont de soi, les activités qui peuvent être menées à propos de ce thème dans plusieurs domaines classiques (et fondamentaux) de la pratique pédagogique : les mathématiques et la langue notamment, mais aussi l'éducation physique et sportive. Les liens que celle-ci entretient avec l'équilibre général de l'alimentation, les relations réciproques qui se nouent entre les deux, devraient donner lieu à, et en tous cas fournissent l'occasion de, l'instauration d'une pédagogie exemplaire de l'éducation corporelle. Un corps qui se meut est un corps qui parle et qui, en particulier, dit quelles sont ses nourritures, manifeste ce qu'il a assimilé, ce dont il a manqué ou abusé.

S'agissant de la langue, le thème est aussi riche que n'importe quel autre. Le stock lexical mis en jeu y est très abondant, comme les possibilités syntaxiques. Les rapports de la nourriture à la parole sont, comme on sait, nombreux et multiformes. Ils permettent donc une formation linguistique à la fois concrète, flexible et hiérarchisée, comme il convient dans tous les apprentissages instrumentaux. En outre, la variété du thème est telle qu'elle donne tout le temps nécessaire.

Pour toutes ces raisons, la thématique proposée est de nature à opérer une véritable ouverture à l'éveil. Sa place ne se situe pas dans une case horaire réduite et fixe, comme si l'on avait affaire à une nouvelle discipline. C'est d'un éclairage global qu'il s'agit, qui est en mesure d'imprégner tout l'enseignement. Autour de quelques thèmes majeurs comme celui-ci (encore qu'aucun, sans doute, ne possède son ampleur) l'institution scolaire peut entamer un nouveau processus de formation adapté aux besoins de notre époque. Il est essentiel, dans cette perspective, de ne pas considérer cette orientation comme une accumulation d'informations et de connaissances ponctuelles : ce qui est à savoir l'est en fonction des problèmes qu'il contribue à poser, de la réflexion qu'il suscite et de la lecture critique qu'il développe à l'égard du monde et des sociétés. Telle est d'ailleurs, à nos yeux, la définition la plus juste de l'éveil, qui dépasse la sempiternelle (et absurde) opposition entre la tête bien faite et la tête bien pleine. Force est de déplorer, à ce sujet, la lenteur actuelle de l'évolution, tant au plan purement institutionnel que dans les mentalités des diverses parties concernées par l'enseignement.

2

LES ENFANTS
DE LA NOURRITURE

introduction en forme
de bribes...

☐ Un jour de printemps à la campagne. Le père a allumé un feu
dans l'allée pour brûler les branches mortes abattues par les
vents de l'hiver ; son fils, 4 ans, contemple le brasier. Extase.
Il laisse pendre la sucette géante qui l'occupait depuis plus d'un
quart d'heure... Soudain, il se ressaisit ; il file vers la maison,
entre dans la cuisine, ouvre le réfrigérateur, y prend une pomme magnifique, revient au feu, pique la sucette dans la pomme
et la présente à la flamme. Vieil instinct resurgi, appelé par
la flamme ? On évoque la domestication déterminante du

feu, on a lu « le cru et le cuit » de LEVI-STRAUSS... on est ému que, malgré tant de sophistication dans l'éducation des enfants d'aujourd'hui, malgré l'allongement des circuits qui vont du produit naturel au produit consommé, malgré la médiation du technique et du technologique, malgré la sémiotisation du discours qui glisse entre le langage et le réel un coussin de signes, de codes et de symboles, malgré tout cela, l'enfant accomplit spontanément les mêmes gestes que son grand-père quand, tout jeune enfant, il gardait les vaches durant de longues heures ; l'enfant retrouve les réflexes primordiaux qui poussent à mobiliser les quatre éléments pour survivre. Ainsi pour le feu et l'alimentation.

Et qu'un esprit chagrin ne vienne pas suggérer que cet enfant a, sans doute, vu ses parents, certains jours de vacances, s'évertuer autour d'un barbecue... le schéma de l'acte est en amont ; il n'est pas une simple imitation. D'ailleurs cuire des brochettes n'est-ce pas une réalisation de ce schéma ? L'enfant chantonne maintenant sur deux notes ; accroupi, il dodeline du chef selon une notation très rythmée : « Alle cuit la pomme et ze vais la manzer ».

☐ Autre scène dans une autre famille. Alain, deux ans et demi, est sur les genoux de son père. Il « lit » un livre d'images ; il nomme les êtres et les choses représentés et, rituellement après chaque nomination, il déclare : « Je le veux ». Le père fait semblant de saisir l'image, comme si elle était une réalité miniaturisée ; il en pose le contenu fictif dans la paume de son enfant et, chaque fois, le petit Alain porte la main à la bouche en chantonnant : « C'est à moi, c'est à moi... » Manger pour posséder, pour connaître, pour s'approprier (« Il est si mignon, ce petit, je le mangerais ! »), ne serait-ce que selon un rituel magique...

☐ Troisième flash. Un lundi matin, neuf heures, dans une classe d'une petite école de la banlieue parisienne. C'est l'heure de l'entretien collectif. Nous sommes dans un CM2. Marie-Claire, neuf ans, a pris la parole.

« Hier, à la télé, j'ai vu une drôle de chose. C'était un désert [1] : Les hommes [2] y meurent de soif et de faim. Il ne pleut presque jamais. Il ne pousse rien. Alors, les sauvages ils chassent. Pour ça, ils font des flèches empoisonnées. Le poison, c'est des petites larves qu'ils trouvent sur les racines de certaines plantes ; ils les cherchent à quatre pattes comme des bêtes. Quand ils ont trouvé des larves, ils sont si contents qu'ils deviennent comme fous : ils crient, ils se roulent par terre, ils trépignent, ils dansent.

---

(1) Le désert du KALAHARI.
(2) Les Boschimans, qui sont sans doute les plus déshérités de tous les hommes : moyenne de vie 28, 30 ans.

— Tu comprends cela ?

— Oui, c'est la faim ; pour faire ça, il faut mourir de faim, presque... »

Compréhension intuitive, spontanée de cette première nécessité d'où tout découle : se nourrir, compréhension de la transe qui saisit le perpétuel affamé devant la promesse — combien hypothétique, cependant ! — d'une possibilité de survie. Marie-Claire, fille de cadres moyens jouit pourtant d'un superflu permanent : si elle a faim, parfois, c'est à un autre niveau, c'est d'autre chose.

☐ Dans cette classe il y a un ogre. Bruno, 10 ans : un gros enfant blême. Il mange sans arrêt ; son cartable est une épicerie de rêve : gommes multicolores, réglisse, chewing-gum, biscuits, petits-beurres, bonbons, « roudoudous », sucettes, etc. Quand il n'a plus rien à manger, il sombre dans la mélancolie, il ronge ses stylos et ses crayons, il mâche des boulettes de papier. Quel manque affectif est-il à l'origine de cette boulimie ? Apparemment ses parents forment un couple uni et sans histoire ; apparemment Bruno est un enfant choyé : pourtant, s'il en avait la possibilité, il mangerait le monde, il se mangerait lui-même.

☐ Cinquième bribe : un cours moyen, encore, mais dans une école rurale du département de l'Aisne. Les enfants ont imaginé un conte. Un enfant est transporté, par un avion échappé d'un manège, en Afrique. Il atterrit chez les « Batchibouzouks ».

L'accueil est chaleureux, un festin en porte témoignage :

«... La cérémonie se termine par un grand festin ; les cuisiniers présentent des plateaux avec du lait de noix de coco, de l'eau de pluie, des légumes de là-bas : carottes sauvages, radis-noirs... des côtelettes de phacochères, des fruits délicieux... (3) »

L'enfant qui a quitté par force un milieu familial quelque peu indifférent, s'intègre dans une autre communauté par la médiation d'une nourriture abondante, exotique, nouvelle.

☐ Sixième flash : scène aujourd'hui plus que familière ; la caverne d'Ali-Baba : « Porte-monnaie, ouvre-toi ! » La mère — et de plus en plus souvent le père, le père devenu maître d'une technique et de secrets culinaires qui affirment en l'agrémentant une appartenance sociale valorisante (dans le cadre fortement idéologisé des modes caractérisant de nouvelles formes de relations) — la mère et le père, donc, furètent dans un magasin à grande surface. Lise et Alain, leurs enfants sont là. Ils ne participent guère au choix. Il est vrai qu'on ne leur demande pas leur avis. Une exclamation

---

(3) « *Stéphane chez les Batchibouzouks* » : conte imaginé par les élèves de l'école Villequier-Aumont par Chauny.

approuve ou critique parfois l'emplette des parents : « Oh, oui, ça j'aime ! — Pouah, c'est infect, ce truc !... » Et tous deux lorgnent du côté des friandises présentées comme autant de gadgets.

La nourriture institutionnalisée, dans un réseau idéologique serré, par l'économie libérale et capitaliste s'offre en surabondance dans une quête qui n'est qu'une fausse aventure : tout ressemble à tout, ne diffère que l'emballage. Le gadget à découper sur la boîte ou à découvrir sous le couvercle font partie de la grande fête morose de la « bouffe ».

La faim n'est plus la faim : c'est la turgescence abâtardie de désirs dépravés.

Quels sont les rapports de cette faim avec celle des origines ? Et son assouvissement, qu'est-il, qu'apporte-t-il en vérité ?

☐ En vrac, maintenant, et pour en terminer avec ce déballage où il faudra bien mettre de l'ordre, dans lequel nous devrons bien inscrire un schéma de cohérence, deux citations, l'une de caractère politique, l'autre poétique, sur le thème de la cuisine et de la faim.

« Mi-en-leh (4) disait que chaque cuisinière devait être capable de gouverner l'Etat. En disant cela, il avait en vue à la fois une transformation de l'Etat comme une transformation de la cuisinière. Mais on peut aussi tirer de ses propos cette leçon qu'il est avantageux d'organiser l'Etat comme une cuisine, et la cuisine comme un Etat. »

BERTOLT BRECHT
Me-Ti. *Livre des retournements* (L'Arche éd.).

FÊTE DE LA FAIM

Ma faim, Anne, Anne,
Fuis sur ton âne.

Si j'ai du goût, ce n'est guères
Que pour la terre et les pierres.
Dinn ! dinn ! dinn ! Mangeons l'air,
Le roc, les charbons, le fer.

Mes faims, tournez. Paissez, faims,
Le pré des sons !
Attirez le gai venin
Des liserons ;

Mangez
Les cailloux qu'un pauvre brise,
Les vieilles pierres d'église,
Les galets, fils des déluges,
Pains couchés aux vallées grises.

---

(4) Lénine, dans la parabole de Bertolt BRECHT.

Mes faims, c'est les bouts d'air noir ;
L'azur sonneur ;
C'est l'estomac qui me tire.
C'est le malheur.

Sur terre ont paru les feuilles !
Je vais aux chairs de fruit blettes.
Au sein du sillon je cueille
La doucette et la violette

Ma faim, Anne, Anne !
Fuis sur ton âne.

A. RIMBAUD (Derniers vers)

Ce n'est pas au hasard que nous avons confié le choix de ces anecdotes et de ces citations : nous les croyons symptomatiques des relations qu'entretiennent l'enfant, le jeune et l'adulte avec la nourriture.

Dans ce patchwork que pouvons-nous mettre en évidence ?

• *Un besoin élémentaire se manifestant par une série d'actes réflexes,* pris en charge par des comportements, des initiatives, des actes, des gestes, des manifestations verbales mélodiques et rythmiques, des proférations modalisées selon plus ou moins de véhémence. L'enfant a faim. Il le ressent au niveau du subconscient d'abord, puis la satisfaction tardant, il prend conscience des effets de sa faim, il sait qu'il a faim ; il invente alors une stratégie de l'appel ; au début, il chantonne en se balançant, mais, le besoin se faisant de plus en plus véhément, il demande de plus en plus fermement ; et puis c'est l'anxiété ; il finit par pleurer. Quand l'enfant sait qu'il a faim, le drame est proche s'il n'est pas nourri rapidement.

Dans la première anecdote cependant, il est peu probable que l'enfant soit affamé. Ce qui est intéressant c'est qu'une situation aussi banale que d'allumer un feu en plein air, pour nettoyer un parc ou un jardin, soit pour un bambin l'occasion d'une initiative culinaire. L'enfant abandonne une friandise — mais il est sans doute quelque peu blasé dans ce domaine — et, obéissant à on ne sait quel modèle (intégré dans le subconscient ou rétention d'un souvenir plus récent), il va chercher une pomme, il se sert de sa sucette comme d'une broche, il cherche à faire cuire le fruit et il éprouve une telle satisfaction qu'il chantonne en verbalisant ses actes et leur objectif. A quatre ans, cet enfant répond à un besoin de nutrition par une action mettant en œuvre un grand nombre d'opérations.

Il est bien évident qu'à cet âge l'enfant ne sait pas ce qu'est la faim comme stimulus d'un processus biologique complexe ; mais il sait ce qu'elle est comme manifestation de son corps. Une objectivation du phénomène à partir de lui est donc possible. Dès la maternelle cette faculté d'objectiver un désir né d'un besoin pourra être exploitée. De plus, si des initiatives semblables à la sienne sont observées dans son aire de vie, la relation des actions au stimulus pourra être établie : papa, maman, les autres enfants, les animaux ont faim : voilà un départ qui peut nous mener loin. Pourtant, nous ne sommes qu'à la maternelle...

Mais si la faim est le système d'alarme pour un besoin primordial, se nourrir est aussi un plaisir ; il en est ainsi de la satisfaction de tous les besoins élémentaires. L'enfant de la première anecdote annonce ce plaisir par la serinette incantatoire qui commente son initiative. La surprise qu'éprouve Marie-Claire devant les réactions hystériques des Boschimans ne nie pas ce plaisir ; l'enfant ne comprend pas la joie *démente* de ces hommes dont la survie tient à une larve chargée de poison.

Le plaisir de se nourrir, de manger doit être raisonnable, plus intériorisé. L'enfant extériorise, lorsqu'il est plus petit, sa joie devant un plat ou à la promesse d'une friandise, de manière volontiers débridée. Mais à neuf ans, n'est-ce pas, quand on est demoiselle et bien élevée... et surtout quand on n'a pas été élevée dans le désert du Kalahari.

L'activité orale peut déborder la simple satisfaction de la faim. La seconde et la quatrième anecdotes en portent témoignage.

• Alain mange fictivement les images. *C'est un acte d'appropriation. Ingérer c'est posséder.* Il est très fréquent notamment entre 9 et 19 mois que pour les expériences d'appropriation du milieu l'enfant utilise ses facultés gustatives. *Connaître, c'est aussi goûter, c'est constater « ce que ça fait dans la bouche ».* L'accident survient parfois, mais c'est le plus souvent parce que la maman a eu peur, ou qu'un choc est intervenu au cours de la déambulation du bambin.

Ces expériences de connaissance et d'appropriation (d'autant plus remarquable dans l'exemple cité qu'elle se déroule à un niveau symbolique : l'enfant sait que son père ne lui donne pas l'image et il sait aussi que lui, Alain, ne la mange pas : tout est jeu) devront être poursuivies à l'école : le goût permet de comparer, de connaître des produits, des plantes, des matières ; pourquoi donc s'en priver !

• Le cas de l'ogre Bruno est sans doute plus dramatique ; dans son cas, *l'activité orale est de substitution.* Les adultes sont sujets à ces boulimies nées de carences ou de problèmes affectifs ; certains psycho-sociologues se demandent même si une des raisons de l'importance que prend la nutrition (la nourriture) dans la journée du Français de 1978 ne tient pas à l'effondrement de la relation sociale, aux difficultés qu'éprouvent les couples à se réaliser pleinement. Bruno n'a pas faim de nourriture, il a faim d'autre chose : cette autre chose ne lui est pas donnée, il compense. L'éducateur peut-il trouver une solution ? Une solution complète, c'est peu probable. Il serait dangereux, si telle est la carence de l'enfant, de vouloir lui apporter toute l'affection qui lui manque. Ce n'est pas là notre rôle. Il peut, cependant, par un travail sur les phénomènes nutritionnels d'une part, et en essayant d'intégrer l'enfant dans un réseau de camaraderie plus fort, notamment par une pédagogie centrée sur l'activité des élèves travaillant en équipes d'autre part, amener Bruno à considérer avec plus d'objectivité ses besoins en nourriture et lui créer en même temps un support affectif dont il semble avoir le plus grand besoin.

Besoin élémentaire, plaisir de l'assouvissement, moyen de connaissance et d'appropriation, substitut de besoins insatisfaits, l'activité orale est décidément plus riche que sa non-prise en considération par l'école ne le laisserait prévoir !

Et ce n'est pas tout.

• *C'est aussi par la connaissance des modes alimentaires différents du leur que les enfants peuvent comprendre des civilisations différentes* (c'est le cas des Boschimans du Kalahari) ; mieux, cette entrée est particulièrement féconde pour découvrir la nôtre, et ce sous le double aspect synchronique et diachronique.

• La cinquième anecdote illustre bien l'importance qu'accordent les enfants à la nourriture comme satisfaction d'un besoin, comme prétexte à se rassurer et comme moyen d'exprimer leur joie après une dangereuse aventure, *mais aussi comme moyen d'établir une relation sociale pour honorer l'hôte et nouer avec lui des liens privilégiés.* Stéphane est accueilli comme un héros par les Batchibouzouks ; son intégration dans la tribu est spontanément symbolisée par un festin pantagruélique. Manger beaucoup (des produits rares) scelle une relation autant qu'un traité, une promesse ou un discours. Très souvent, d'ailleurs, le pacte passe par ces trois rites qui finissent par n'en plus faire qu'un : c'est la cérémonie.

L'aspect social peut, hélas, devenir totalitaire et aliénant ; c'est le cas dans la sixième anecdote. L'individu rejeté dans sa solitude mise son bonheur sur la bonne chère ; celle-ci entre dans la définition du statut social, du « standing » ; il n'est point nécessaire, d'ailleurs, de disposer de revenus importants pour cela : la mode gagne les couches sociales moyennes, voire modestes. Jadis, un ou deux festins annuels à l'occasion d'une fête, religieuse notamment, rassemblaient la famille pour un moment de liesse, reflet quelque peu abâtardi des cérémonies de « dépassement du sacré » comme dit Roger CAILLOIS, qui permettaient à certaines tribus primitives de revivre périodiquement le mythe de la naissance de l'ordre à partir du chaos originel. Aujourd'hui, ce genre de manifestation se multiplie et sort du cadre familial. Les prétextes sont nombreux et variés : relation sociale, vacances, événement local, fête religieuse ou familiale, etc. Le maître de maison est souvent le maître de cérémonie : il est le prêtre initié au mariage des saveurs, au secret de recettes rares ou plus exactement des menus rites qui font, d'un plat relativement commun, une nourriture exceptionnellement savoureuse. Ainsi, l'homme en pénétrant dans l'économie ménagère, s'y taille un empire particulier par une compétence singulière, à mi-chemin entre le raffinement technique et le sens du sacré ; il ne se soucie que fort peu de la cuisine quotidienne ; ce qui le préoccupe c'est le cérémonial culinaire, c'est la cuisine grand-messe de la relation sociale, de l'hospitalité sacralisée. La personnalité de l'hôte, au reste, la qualité des liens qui l'unissent à ceux qui le reçoivent ont beaucoup moins d'importance que le fait qu'il devienne le prétexte à un cérémonial dont le maître de maison, en définitive, retire tous les honneurs.

Et puis les occasions étant encore trop rares à son gré, la probation régit le temps du week-end et même, parfois, gagne les jours de la semaine. L'homme est alors devenu celui qui sait acheter, cuisiner divinement : la femme est chassée de la cuisine qui était le réduit et le symbole de son aliénation, l'homme y est entré et le réduit devient un temple où il concocte, à défaut de vaticiner, des jouissances que le rituel veut parer des formes de l'extase.

L'enfant réagit de manière ambiguë à ce tour de passe-passe. La cuisine est délicieuse mais longues, laborieuses et fastidieuses les prémisses. Le père a beaucoup de mal à conserver son statut de grand sorcier ès-cuisine aux yeux de son fils ; il doit en rajouter dans la mise en scène, ce qui n'arrange guère les choses ; le fils ne se sent guère la vocation de gâte-sauce (ou d'enfant de chœur) ; la vanité de l'activisme paternel ne lui échappe pas ; dans son inconscient, s'incline vers son désir, l'image d'une mère nourricière...

• Nous avons, pour terminer notre patchwork, proposé deux textes. *L'un, celui de* Bertolt BRECHT, *est un texte politique* symptomatique de la manière du grand écrivain allemand ; l'humour, qui est, par le truchement du paradoxe, l'outil de « distanciation » dans cet aphorisme, ne dissimule pas le propos résolument révolutionnaire : une transformation fondamentale de la société pour que celle-ci, à tous les niveaux de son économie : depuis la cuisine familiale jusqu'aux plus hautes instances de l'Etat, nourrisse l'homme selon sa faim. Ce n'est pas d'une appropriation de la cuisine par l'Etat qu'il s'agit, mais de l'extension de ce qu'il y a de meilleur, de fondamental dans tout projet de caractère culinaire à l'organisation de l'Etat et, inversement, de faire entrer dans la cuisine ce qui est essentiel dans le projet et l'organisation étatiques. Ce texte est une épure de raisonnement dialectique. La cuisine n'y prend tout son sens et toute sa valeur que dans un ensemble de connotations où le nutritionnel, le populaire, le familial, le politique, le juste et l'équitable mélangent leurs pertinences.

Mais il nous semblait intéressant de rappeler que la cuisine peut aussi entrer dans un discours politique, fût-il révolutionnaire...

Fête de la faim. RIMBAUD pendant son voyage en Grande-Bretagne avec VERLAINE. La faim réelle, triviale, obsédante du poète, devient le poème de la faim, les fêtes de la faim ; c'est le vertige, tout est consommable comme dans les contes : la terre, les pierres, l'air, le roc, les charbons, le fer, le pré des sons, le gai venin des liserons... Mais quand l'estomac lui tire, le poète complète son menu avec des nourritures plus conformes à la nature humaine, même si leur évocation demeure poétique : ce sont les chairs de fruit blettes, la doucette et la violette... la sublimation du besoin élémentaire est-elle accessible à l'enfant ? Quel rapport établit-il entre ce qu'il sait de la faim, ce qu'il en a vécu, ce qu'il en a appris et l'expression artistique de la faim ? Nous savons que la litanie, la scansion est une modalisation de la faim caractéristique de la petite enfance. Il y a bien là un embryon de sublimation ; il serait intéressant de connaître s'il autorise l'accès à des œuvres plus achevées, plus complexes, sur ce thème.

Cette promenade en zigzag parmi des témoignages si différents nous amène à deux questions :

Comment est vécu, au niveau des attitudes, des comportements et des opinions, le rapport de l'homme et de l'enfant à la fonction de nutrition et à la nourriture ?

Et si l'on arrive à saisir et à formuler ce rapport, quel rôle peut avoir sur lui l'instance éducative ?

Une réponse exhaustive et claire à la première question est, dans l'état actuel des choses, impossible. Elle est fragmentée dans les pertinences étroites de nombreux points de vue. Evoquons-en quelques-uns :

— le point de vue biologique qui analyse la nutrition comme une fonction vitale ;

— le point de vue économique qui postule pour chaque individu un salaire minimum lui permettant de satisfaire ses besoins essentiels, dont celui de se nourrir ;

— le point de vue moral : manger est une nécessité, mais comme c'est aussi un plaisir, il faut veiller à ce que ce plaisir ne devienne pas une fin en soi, sinon l'on risque un relâchement progressif des mœurs qui peut conduire à la débauche ;

— le point de vue psychologique : dis-moi ce que/et comment tu manges, je te dirai qui tu es ;

— le point de vue social : dis-moi ce que/et comment tu cuisines, je te dirai avec qui tu manges ; ce point de vue fait du repas un des termes importants de la relation sociale ;

— le point de vue philanthropique qui fait la carte géophysique de la faim et, par le truchement des œuvres, élabore des réseaux d'entraide ;

— le point de vue dialectique qui vise à l'instauration d'une éthique alimentaire fondée sur l'hygiène ;

— le point de vue esthétique qui sublime les faits pour évoquer les grandes insatisfactions de la nature humaine ;

— le point de vue politique qui argumente et planifie pour que s'instaurent des systèmes économiques où la faim sera combattue par une meilleure répartition des biens ;

— le point de vue familial : se nourrir c'est, bien souvent, calculer au plus juste dans un budget étroit pour que chacun mange à sa faim, c'est le petit exploit quotidien de la mère de famille...

— etc.

Car on pourrait jouer longtemps au jeu des points de vue ; chacun d'eux est, certes, valide, mais il découpe dans la réalité des choses un petit univers qui se referme sur lui-même et laisse dans l'ombre tout le reste. *Le problème, c'est que chacun n'envisage la nourriture que selon un ou deux points de vue, sans pour autant établir une relation entre eux.*

Et peut-être pouvons-nous concevoir une action éducative dans ce sens : multiplier, à propos de la nourriture, les points de vue, les entrées dans le thème immense qu'elle constitue et chercher à établir des passerelles entre tous ces points de vue. *Autrement dit, prendre conscience de l'importance de la nutrition, de sa réalité, de tous les phénomènes et de tous les faits qui s'y rattachent, soit parce qu'elle les régit, soit parce qu'elle les conditionne, soit parce qu'ils contribuent à ses différentes formes d'apparition, pourrait être un premier objectif.*

Une analyse plus minutieuse des phénomènes nutritionnels et de leurs avatars, selon les points de vue (les pertinences) les plus couramment adoptés et l'articulation de ces pertinences dans une vision de plus en plus large du phénomène central pourraient constituer une deuxième étape du processus éducatif. A ce propos, les sous-thèmes dégagés dans le chapitre consacré aux activités d'éveil (Pourquoi manger ? Quoi manger ? Où manger ? Quand mange-t-on ? D'où vient ce que l'on mange ? Les conditions « naturelles » de l'alimentation) proposent un champ opérationnel et cohérent du thème de l'alimentation.

Mais il est évident que la démarche pédagogique doit aussi tenir compte de deux paramètres essentiels : l'âge des enfants, leur stade de développement et la stratégie, la méthodologie adoptée.

Dans les pages qui vont suivre, nous procéderons à un bref rappel *des stades de développement chez l'enfant ; nous aborderons alors les données méthodologiques* en nous situant dans le cadre des activités d'éveil tel qu'il a été défini dans le chapitre précédent. Nous illustrerons, *au passage, nos propositions par quelques exemples.* Nous terminerons par *une réflexion sur leurs conditions de mise en œuvre.*

les stades de développement chez l'enfant

L'intelligence et l'affectivité de l'enfant se développent de manière interdépendante. L'affectivité se développe d'abord. L'environnement et la relation sociale sont des facteurs (cause, moteur et objectif) de développement affectif ; l'affectivité est à la source du développement de l'intelligence ; c'est dans l'expérience pratique, la manipulation du réel qu'elle va évoluer en passant par une série de stades que l'éducateur devra parfaitement connaître, s'il veut fonder sa pédagogie sur une stratégie logique et non sur un empirisme où l'échec le disputerait à l'à-peu-près, au flou, au confus.

C'est le développement moteur et intellectuel qui permet à l'enfant d'objectiver le réel et la conscience de soi comme être autonome dans un monde qui, en fait, est un tissu de relations à l'origine de stimuli, de réponses multiples, d'actions et de réactions complexes et indéfinies.

Le développement, donc, concerne la personnalité dans son ensemble. Les moments de ce développement sont, pour parler trivialement, des remaniements globaux qui se traduisent par des conflits et des crises de la personnalité : une nouvelle conduite se définit peu à peu, émergeant par la négation de ce qui existe déjà ou, à tout le moins, par son dépassement.

On comprend, dès lors, que l'apparition des conduites représentatives n'est possible que si elles s'étayent sur des comportements de caractère émotionnel (premières formes de communication) ; mais la représentation suppose le dépassement des conduites émotives, tant il est vrai qu'à leur arrivée les conduites émotives et les conduites cognitives entrent en rapport conflictuel et sont incompatibles.

Ainsi, le développement de l'enfant apparaît à l'observation comme traversé de crises spectaculaires, décisives, qui rendent souvent difficile la tâche de l'éducateur dans la mesure où la constitution et l'intégration du moi donnent lieu à des comportements souvent contradictoires et pouvant manifester une opposition agressive et systématique à toute forme d'apprentissage. L'apparition de ces comportements, la véhémence de leur manifestation sont d'ailleurs en rapport avec le caractère de l'apprentissage, de la nature de la relation ; entre le pédagogue et l'enfant et, au-delà, avec tout le faisceau idéologique de la société dont le système éducatif n'est que l'instrument de reproduction et de renforcement [5]. Sans doute, les crises du développement chez l'enfant sont-elles générales quel que soit le système social, mais il est bien évident que les caractéristiques et l'état historique de celui-ci vont modaliser fortement les manifestations, les réalisations de ces crises ; on peut supposer, par exemple, que dans une société où les valeurs motrices et organisatrices, où les rôles et les statuts des individus ne sont pas fondamentalement remis en cause ou niés dans la vie quotidienne, dans une telle société, donc, l'enfant et l'adolescent verront leur « ça » fortement corseté, guidé par un « surmoi » tout-puissant ; leur « moi » se réalisera au cours d'une formation où la certitude de l'enseignant et des parents dédramatisera quelque peu l'autorité des méthodes et le manichéisme des contenus. Une telle société est de plus en plus rare aujourd'hui ; en effet, elle est figée, archaïque, ou à développement suffisamment lent pour que toute nouveauté vienne intégrer ses schémas constitutifs et de structuration du réel sans les bouleverser dans leurs principes. Ce fut le cas pour les sociétés de l'antiquité, pour le moyen âge, pour la société rurale française jusqu'à la guerre de 1914, pour la société bourgeoise de la première moitié du XIXe siècle, c'est encore (et très provisoirement) le cas pour quelques sociétés primitives que la civilisation n'a pas trop profondément perturbées.

Mais l'ensemble des pays du globe connaît désormais un autre sort. La civilisation technique, les systèmes économiques en présence font que les sociétés subissent de profonds et permanents changements qui affectent, dans des contradictions impossibles à dépasser sans bouleversements essentiels, toutes les connaissances, toutes les valeurs, tous les modèles. Ceux qui, dans ces sociétés, disposent des responsabilités et du pouvoir ont été formés dans des institutions et selon des modèles encore rigides. Il leur est très difficile d'assumer les mouvements, les changements obligatoires ; les comportements ne reflètent pas les attitudes ; les opinions épousent les stratégies à la mode, les modes gagnent tous les niveaux de l'activité sociale culturelle et économique et pas-

---

(5) Cf. Bourdieu (P.) et Passeron (J.-C.), Les héritiers, Paris, Ed. de Minuit, 1974.

sent de plus en plus vite. L'enseigné perd confiance en un système qui se renie sans cesse et qui ne fournit plus les instruments pour connaître une réalité de plus en plus insaisissable, complexe, pour la maîtriser, pour élaborer un projet social visant la plus grande équité, le bien-être sans l'aliénation, la liberté sans l'anarchie, le respect de l'individu sans la solitude et l'émiettement de la relation.

Mais ces avatars de l'évolution des sociétés n'invalident pas les découvertes de ces dernières années dans le domaine de la psychologie génétique. Les moments les plus importants pour l'édification de la personnalité globale sont expliqués, notamment depuis PIAGET et WALLON, dans le cadre d'une conception dialectique du psychisme.

Si la psychologie classique reconnaît bien l'incompatibilité de certaines manifestations telles que l'émotion et la lucidité intellectuelle, il appartient à H. WALLON [6] d'avoir montré que si elles sont effectivement incompatibles dans leurs résultats, dans leurs effets, elles procèdent l'une de l'autre à leurs origines respectives. Nous retrouvons ici, comme principe heuristique, une des bases du matérialisme dialectique, à savoir que la contradiction qui apparaît à un moment peut se fonder sur une communauté à l'origine de ses éléments problématiques : les opposés procèdent du même.

Nous emprunterons à H. WALLON ses hypothèses pour dresser un tableau des stades du développement de l'enfant. Ce tableau justifiera, du moins nous l'espérons, nos propositions pédagogiques ultérieures. Avec lui, nous distinguerons, grosso modo, cinq stades.

I. — STADE IMPULSIF ET ÉMOTIONNEL : En gros de 0 à 1 an : stade « centripède » ou d'édification du sujet.

• 0 à 2-3 ms : Stade d'IMPULSIVITÉ MOTRICE PURE :

Dominance des réactions purement physiologiques (spasmes, crispations, cris).

• 3 à 9 ms : Stade ÉMOTIONNEL : Début de la mimique (sourire). Prépondérance des expressions émotionnelles comme mode dominant des relations enfant-entourage.

• 9 à 12 ms : Début de systématisation des exercices sensorimoteurs.

C'est le stade de l'osmose affective avec l'entourage, qui prélude à une vie relationnelle.

---

(6) WALLON (H.), L'évolution psychologique de l'enfant, Paris, A. Colin, 1967.

II. — Stade sensori-moteur et projectif : De 1 à 3 ans stade « centrifuge » ou d'établissement de relations avec le monde.

- 12 à 18 ms : Période sensori-motrice : Comportements d'orientation et d'investigation. Exploration de l'espace proche puis élargi par la marche. Intelligence des situations.
- 18 ms à 2-3 ans : Stade projectif : Imitation, simulacre, activité symbolique, langage, représentation. Début de l'intelligence représentative, discursive.

On le constate, ce stade est le moment d'une contradiction difficile à assumer, celle de « moi et autrui ».

Ces deux stades, l'éducateur bien sûr doit les connaître dans la mesure où ils font souvent l'objet de « retours régressifs » chez l'enfant, surtout s'il rencontre des obstacles à son développement difficiles à surmonter. Reste que la satisfaction de ses besoins est le fait de son environnement familial (donc des possibilités réelles de celui-ci) et social. « La croissance, les maturations biologiques et physiologiques sont les bases matérielles inséparables du développement neuro-psychique, qui passe par l'expérience concrète du corps ; il en résulte que plus l'enfant est jeune, plus les soins les plus élémentaires sont éducatifs » [7].

Quels sont, grossièrement exprimés, ces besoins liés à la croissance ?

— Citons les besoins de prévention facilités par les remarquables progrès de l'efficacité thérapeutique qui ont permis « de diminuer considérablement la gravité et la durée des maladies infectieuses » [7].

— Evoquons aussi les besoins affectifs dont l'assouvissement va d'abord passer par les soins alimentaires ou corporels. « L'enfant a besoin d'un climat cohérent et sécurisant, l'insécurité étant source d'anxiété ; il a besoin d'être aimé, l'amour appelant l'amour ; il a besoin d'être stimulé. Stimuler un bébé c'est penser à s'en occuper activement, à le caresser, à l'intéresser à ses propres acquisitions » [7].

— Parlons encore des besoins d'éducation, l'importance du conditionnement étant une des caractéristiques de cette éducation.

— Mais nous insisterons surtout, puisque c'est le propos de cet ouvrage, sur le besoin de nutrition. L'importance de cette nutrition « dépasse de loin celle de la croissance en poids et en mus-

(7) Lazard-Levaillant (F.), Le petit enfant ce méconnu, Paris, Editions Sociales, 1975.

cles » (8). On sait combien l'alimentation du bébé doit être minutieusement équilibrée : trop riche sur le plan énergétique, elle sera à l'origine de l'obésité, si elle manque de protéines, on risque de graves répercussions sur le cerveau et sur l'intelligence. Cette nutrition doit donc être suffisante, correcte, variée, diversifiée et équilibrée. « Il ne s'agit pas seulement des différentes rations de protéines, de graisses et de minéraux, mais aussi de certains acides aminés dont on connaît depuis peu le rôle fondamental pour le métabolisme humain » (8). Nous ne saurions entrer dans la controverse qui oppose les tenants de l'allaitement maternel et ceux de l'allaitement artificiel ; la querelle est activée par des arguments non explicites qui n'ont rien à voir avec le bien de l'enfant.

« Nourrir ou non son enfant est un sujet intimement lié à la composante physiologique de l'amour maternel ; il est d'autant plus vecteur de traditions qu'il touche directement à la conception du rôle de la femme » (8).

III. — STADE DU PERSONNALISME : De 3 à 6 ans : stade « centripète » ; importance de cette période pour la formation du caractère.

• 3 ans : CRISE D'OPPOSITION : Indépendance progressive du moi (emploi du « je »). Attitude de refus permettant de conquérir et de sauvegarder l'autonomie de la personne.

• 4 ans : AGE DE GRACE : Séduction d'autrui. Age de narcissisme.

• 5-6 ans : JEUX DE RÔLE : Imitation de personnages, effort de substitution personnelle par imitation.

Là encore, contradiction entre le syncrétisme de la pensée et de la personne. C'est le stade de l'univers social.

IV. — STADE DE LA PENSÉE CATÉGORIELLE : De 6 à 11 ans : stade « centrifuge » : prépondérance de l'activité de conquête et de connaissance du monde extérieur, objectif.

• 6-7 ans : Sevrage affectif, « âge de raison », âge scolaire. Pouvoir d'autodiscipline mentale (attention). Brusque régression du syncrétisme.

• 7-9 ans : Constitution de réseaux de catégories, dominées par des contenus concrets.

• 9-11 ans : Connaissance opératoire rationnelle, fonction catégorielle.

(8) LAZARD-LEVAILLANT (F.), opus cité.

Nous sommes donc au stade de la pensée catégorielle, centrifuge. Soulignons la contradiction entre la personne « éparpillée » et le besoin d'unité de l'enfant.

V. — STADE DE LA PUBERTÉ ET DE L'ADOLESCENCE : A partir de 11 ou 12 ans, durée variable : stade « centripète », indispensable à l'achèvement de la personne. Crise pubertaire. Retour au moi corporel et au moi psychique (opposition). Retour de la pensée sur elle-même (soucis théoriques, doute). Prise de conscience de soi dans le temps (soucis métaphysiques, orientation selon des choix et des buts définis).

Quatre ensembles fonctionnels poursuivent leur intégration :

— l'affectivité,

— l'acte moteur,

— la connaissance,

— la personne.

Ces trois derniers stades recouvrent la scolarité, depuis le cycle préélémentaire jusqu'au C.E.S. Ils seront, en filigrane, les lignes de force de nos propositions pédagogiques.

A L'ECOLE MATERNELLE

L'enseignement préélémentaire est particulièrement important pour l'enfant au regard de sa réussite dans les apprentissages fondamentaux qui vont suivre. A mi-chemin entre *le stade sensori-moteur* où l'enfant ne se sépare pas encore du monde, où son raisonnement procède d'un réalisme spécifique, transductif, et où il conçoit son intervention sur les êtres et les choses de manière magique, et le stade des opérations concrètes qui va voir fonctionner l'esprit dans des opérations relativement complexes, l'enfant à la maternelle peut pratiquer des activités d'observation, de sériation, d'organisation et de mise en relation qui assureront la mise en place de ses facultés conceptuelles et logiques.

Des observations

La petite section observe librement les milieux proches de l'école : la cour, le jardin, la rue, le quartier. Ce sont des milieux naturels que l'homme a souvent fortement transformés, qu'il a façonnés ; peu importe : ce sont des milieux de vie. Cette observation peut aisément s'orienter vers des phénomènes relevant de la nutrition. D'autre part, les petits pratiquent des élevages et mettent en scène la vie des animaux familiers.

La grande section étudie les *mœurs* familiales, les habitudes des animaux domestiques et des animaux sauvages ; on apprend à *nommer les plantes* alimentaires et ornementales de la contrée, on apprend aussi que pour qu'elles croissent et s'épanouissent *certaines conditions sont nécessaires :* il faut de la terre, de l'air, de la lumière, de l'eau.

On y observe encore, *quotidiennement et directement,* les saisons, leurs aspects, les travaux qu'on y pratique, leurs productions selon les lieux. Donc, et cela en accord avec les instructions, se trouvent abordés dès l'école maternelle des notions et des concepts fondamentaux :

• les manifestations de la vie, biologiques d'abord ;

• la vie des animaux et des végétaux ;

• « Les milieux à dominante naturelle avec continuité de l'observation dans l'espace » [9] ;

• le cycle saisonnier de la vie. Ainsi, et c'est un des avantages de l'observation en milieu ouvert, l'on apprend à y faire des observations qui sont continues dans l'espace et dans le temps, et non pas ponctuelles : or, en sciences, n'a de valeur que ce qui est observé selon une continuité spatiale ou temporelle.

• « Enfin, on pourrait même dire, sans que le mot soit prononcé, que l'on y aborde l'écologie : c'est le maître-mot de la biologie depuis quelques années. » [9].

Un tel programme permet, sans distorsion et sans surcharge, d'accorder une large place aux phénomènes de nutrition. Ils sont des éléments de cohérence dans les observations pratiquées et les informations recueillies.

Des questions

Les observations peuvent répondre à des questions essentielles :

• Qui mange ?

• Comment voit-on qu'un animal, une plante, un enfant mangent ?

---

(9) « Initiation biologique et expérimentale à l'école élémentaire, dans le cadre des activités d'éveil et de la rénovation pédagogique » : conférence prononcée par l'Inspecteur Général DULAU à Guéret le 6 mai 1971.

Déjà, pour isoler le phénomène, des situations expérimentales devront être réalisées. Si je veux savoir ce qui nourrit une plante, je vais être obligé d'isoler des paramètres aussi différents que l'eau, la terre, l'air, la lumière ; il faudra donc inventer les situations qui permettront de savoir ce qui est nécessaire de ce qui, éventuellement, ne l'est pas.

• Que se passe-t-il si les animaux, les plantes, les enfants sont privés de nourriture ?

• Qu'est-ce qui est mangé ? Par qui ? Comment ?

• Quand tu as mangé, qu'est-ce que ça te fait ?

• Quand le chat a mangé, qu'est-ce qu'il fait ? Et le hamster ? Et le cochon d'Inde ? Et le serin ? Et le pied de marguerite ? etc.

• Avec quoi manges-tu ? Et le chat ? Et les mouches ? Et le pied de marguerite ? etc.

• Quand manges-tu ? Et le chat ? etc.

• Où manges-tu ? Et le chat ? etc.

• Que devient ce que tu manges ? Et le chat ? etc.

De petits classements, des tableaux permettant des mises en relation à partir d'images peuvent être entrepris qui seront, par ailleurs, l'occasion d'un travail linguistique oral (enrichissement lexical, utilisation de tournures, de constructions syntaxiques nouvelles. etc.).

En somme, ce que l'on visera, c'est l'approche globale du vivant, d'une manière pratique, avec les élevages, les cultures par des relations de nutrition, par la mise à jour de cycles. C'est par les mains que les enfants apprennent, qu'ils sont conduits à la notion de vivant ; par les mains et le regard : le regard devient un instrument efficace d'approche et de connaissance quand il est motivé et instruit de sa mission. Apprendre à regarder, accommoder son regard à des objectifs bien définis est déjà un souci de l'école maternelle.

Des structurations

Quelques tableaux à fabriquer avec les élèves :

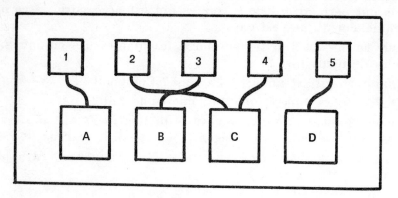

A QUI APPARTIENT CETTE BOUCHE ?

1, 2, 3, 4, 5, etc... sont des images représentant des animaux très différents, des hommes adultes, des enfants...

A, B, C, D, etc. sont des images représentant des bouches humaines, des becs, des mufles identifiables, des mandibules, des suçoirs, etc.

Il s'agit d'*établir les relations correctes.*

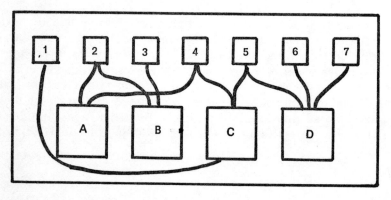

QUI MANGE QUOI ?

1, 2, 3, 4, 5, 6, 7, etc. sont des images représentant des animaux très différents, des hommes adultes, des enfants...

A, B, C, D, etc. sont des images représentant des aliments naturels et cuisinés.

Il s'agit, là encore, d'*établir les relations correctes.*

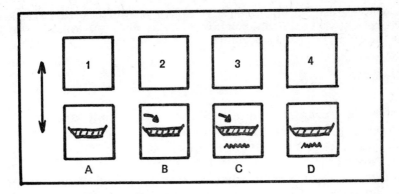

A MIDI J'AI MANGÉ :

1, 2, 3, 4, sont des dessins exécutés par les enfants représentant **ce** qu'ils ont mangé (attention à la succession des plats).

A, B, C, D, sont des images symboliques signifiant :

A - C'était tout prêt (radis).

B - Maman a ajouté quelque chose (salade).

C - Maman a ajouté quelque chose et a fait cuire (viande).

D - Maman a fait cuire (œuf à la coque).

Il s'agit :

1) de faire l'*inventaire* de tout ce qui a constitué le repas (expression orale) ;

2) de le *dessiner* (expression graphique) ;

3) de le *coller dans l'ordre* sur une feuille ;

4) de *choisir* et de *coller* sous chaque plat la bonne image symbolique.

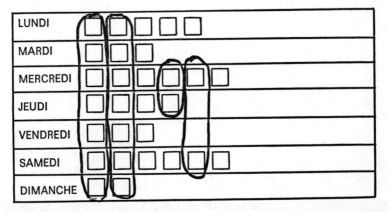

Où maman fait-elle ses courses chaque jour pour nous faire manger ? En abcisse de chaque journée l'enfant appose les images évoquant les commerçants visités. Selon l'âge et les capacités d'abstraction de l'enfant, cette image peut être de caractère analogique ou, au contraire, participer d'un code élaboré en classe.

Cet exercice est une initiation à l'enquête et constitue une excellente préparation à l'organisation d'informations dans un espace symbolisant une durée : ici, la semaine.

S'exprimer, créer

Toutes ces recherches multipolaires, permettant une approche du réel par des analyses de plus en plus fines, *additionnant et structurant les faits* prouvant l'importance de la fonction de nutrition, *favorisant l'expression orale et préparant à la lecture et à l'écriture,* toutes ces recherches doivent aller de pair avec d'autres activités qui *mobiliseront les possibilités expressives et créatrices du bambin :* dessin, découpage, collage, travail rythmique et mélodique, expression corporelle, danse, etc. Mille situations sur le thème de la nutrition, de la faim peuvent constituer des prétextes à des transpositions créatrices individuelles et collectives.

Il nous a été donné, dans une maternelle de la banlieue parisienne, d'assister à la présentation d'une telle transposition ; nous en détaillons le scénario ci-dessous. Il doit être lu comme un témoignage et non comme une proposition : cette production, en effet, s'inscrit dans un processus pédagogique fondé sur l'initiative et la collaboration de l'enfant : elle fut le fruit de tout un travail dont les aspects les plus importants ne sont pas décrits (enquête, observation, conceptualisation, structuration des données apportées par les recherches des enfants, etc.). Les enseignants avertis évalueront tout ce qui doit se situer en amont d'une telle réalisation pour qu'elle prenne sa véritable signification.

Un jeu dramatique a la maternelle

« Mon ventre a faim »

On a repoussé les tables vers les murs. Au centre libéré de la classe, un grand tapis.

La maîtresse est le meneur de jeu. A ce titre, elle le présente et elle le commente. Elle est assistée de deux groupes d'enfants : l'un constitue l'orchestre, l'autre manipulera la marionnette.

1. Les enfants sont couchés, enchevêtrés sur le sol ; leurs gestes sont lents ; ils expriment une plainte sous la forme d'une litanie murmurée à voix basse : « J'ai faim ! J'ai faim ! »

1. L'orchestre ponctue la plainte, de bruits : notes frappées sur le triangle, percussions de cymbales, de planchettes, de woodblock, de crotales, etc.

2. La plainte devient plus forte, plus véhémente ; des bras se tendent brusquement, des jambes se raidissent, le groupe s'étale dans l'espace en roulant sur le sol. Les enfants se lèvent, sautent...

2. Ponctuation de plus en plus forte : on utilise maintenant des crécelles, des tambours, des sifflets, des trompettes d'enfants...

3. Une ronde se forme dans laquelle les participants sont très serrés : ils se tiennent par les épaules. Tous les quatre temps, ils projettent leurs têtes vivement vers l'arrière. Ils scandent leurs mouvements sur la mélopée qui monte, crescendo : « J'ai faim ! J'ai faim ! »

3. La ronde et la scansion avaient fait l'objet d'une recherche musicale. Les enfants avaient créé une petite serinette très rythmée, la scansion intervenant sur le temps faible (comme dans le jazz) et étant marquée par un frappement de mains.

4. Entre dans la classe une gigantesque marionnette dans le style de celles qu'utilise le « Bread and Puppet Theater ». Elle danse. Les enfants de l'orchestre et le meneur de jeu chantent :

« C'est moi la maman
J'arrive à l'instant
Je t'apporte et je te donne : »
(Chaque enfant improvise une réponse qui est reprise en chœur

Ex. :
• de la bouillie ➝ de la bouillie !
• du potage ➝ du potage !
• du banania
• des cerises
• du yaourt
• de la compote
• etc.)

4. C'est un groupe d'enfants qui manipule la marionnette géante. Son entrée et ses évolutions font l'objet d'un bruitage très rythmé qui se poursuit...

5. A chaque proposition, l'enfant qui l'a faite se dirige vers la marionnette figurant la mère, danse avec elle et, après la réponse, revient dans le groupe de ses camarades qui fait la ronde autour d'elle. Quand tous les enfants sont venus danser avec la marionnette, le jeu s'arrête.

5. ... jusqu'à la fin du jeu.

Les contes de fées

« Si nous voulons être conscients de notre existence au lieu de nous contenter de vivre au jour le jour, notre tâche la plus urgente et la plus difficile consiste à donner un sens à la vie » [10].

Telle est la première phrase du livre de Bruno BETTELHEIM « Psychanalyse des Contes de fées ».

S'il fut un temps où le projet éducatif consistait surtout en la transmission d'un ensemble de connaissances jugées nécessaires pour s'intégrer normalement à tel ou tel niveau de la société et être à même d'y assumer ses responsabilités de citoyen, de travailleur et de père ou mère de famille, aujourd'hui, le projet est autre : la recherche des moyens de trouver un sens à la vie entre, explicitement et implicitement, pour une grande part, dans ce nouveau projet. Au reste, poser l'évolution des finalités de l'école dans ces termes n'est pas tout à fait exact : d'une certaine manière, en effet, elle a toujours cherché à former des enfants pour qu'ils soient des hommes heureux et utiles dans la société où ils sont nés, à la place qu'ils ont choisie, ou que cette société a choisie pour eux. Mais, d'hier à aujourd'hui, il semble que nous ayons reconnu d'autres voies au bonheur, à l'épanouissement des hommes...

« Aujourd'hui, comme jadis, la tâche la plus importante et aussi la plus difficile de l'éducation est d'aider l'enfant à donner un sens à sa vie. Pour y parvenir, il doit passer par de nombreuses crises de croissance. A mesure qu'il grandit, il doit apprendre à se comprendre mieux ; en même temps, il devient plus à même de comprendre les autres et, finalement, il peut établir avec eux des relations réciproquement satisfaisantes et significatives » [10].

L'enfant devra donc être en mesure de dépasser graduellement les limites étroites de son égocentrisme et acquérir la certitude qu'il peut influer sur son devenir, apporter quelque chose à sa vie.

« Nous avons tous tendance à évaluer les mérites futurs de n'importe quelle activité sur la base de ce qu'elle offre sur le moment [10] ». C'est vrai, a fortiori, pour l'enfant. Or, le conte, en même temps qu'il le divertit et qu'il éveille sa curiosité, enrichit la vie de l'enfant, stimule son imagination, et « l'aide à développer son intelligence et à voir clair dans ses émotions » [10]. Il est en effet accordé avec ses angoisses, ses inquiétudes, ses troubles, avec tous les aspects de sa personnalité ; il accueille, sans les

(10) BETTELHEIM (B.), Psychanalyse des contes de fées, Paris, Robert Laffont, Col. « Réponses », 1976.

amoindrir, tous ses problèmes et lui ouvre toujours des solutions possibles.

Bien sûr, pas n'importe quel conte : nous parlons ici du conte de fées puisé dans la tradition, orale d'abord, écrite ensuite, dans le folklore.

« Les histoires modernes qui sont destinées aux jeunes enfants évitent avant tout d'aborder ces problèmes existentiels qui ont pourtant pour nous tous, une importance cruciale. *L'enfant a surtout besoin de recevoir, sous une forme symbolique, des suggestions sur la manière de traiter ces problèmes et de s'acheminer en sécurité vers la maturité* »[11].

C'est vrai qu'une des caractéristiques des contes de fées est qu'ils posent les problèmes existentiels les plus délicats et les plus complexes en termes concis et clairs. Cela ne signifie en aucune façon que l'enfant va en objectiver toutes les données et comprendre ces données et les solutions proposées, comme il le ferait d'une consigne magistrale. Le conte œuvre pour une grande part au niveau de l'inconscient et du préconscient. Il œuvre lentement ; c'est dire qu'il exige la répétition et qu'il n'est pas réservé aux enfants de la maternelle.

Un des problèmes que l'enfant rencontre très tôt et qui risque de le perturber s'il n'y trouve de solution qui lui paraisse acceptable, est l'intégration de son oralité ; la manifestation de ce problème apparaît dans sa relation avec la nourriture. Le cas de l'ogre Bruno évoqué au début de ce chapitre est révélateur des déviations que peut prendre l'oralité par transfert de besoin. Il se trouve que certains contes peuvent avoir une grande importance au moment où l'enfant rencontre des difficultés dans son développement psychologique : ainsi, « Jeannot et Margot » racontent comment deux enfants surmontent leurs difficultés oedipiennes, maîtrisent leurs angoisses orales et subliment ceux de leurs désirs qu'ils ne peuvent satisfaire ; le caprice, l'avidité orale notamment (« En dévorant une partie du toit et des fenêtres de la maison de pain d'épice, nos héros montrent qu'ils n'hésitent pas, par gourmandise, à priver des personnes de leur demeure » [11] ; c'est l'oralité portée à son maximum d'égocentrisme).

Le conte : « Les trois petits cochons » est l'évocation du principe de plaisir contre le principe de réalité. L'oralité y tient une grande place. C'est parce que le troisième petit cochon a su dompter son avidité orale qu'il triomphera du loup et... le dégustera en fin

(11) BETTELHEIM (B.), *opus cité* : c'est nous qui soulignons.

de compte ! Cette histoire influence « la pensée de l'enfant quant à son propre développement, sans même lui dire ce qu'il doit faire, en lui permettant de tirer lui-même ses conclusions. *Seul ce processus est à même d'apporter une véritable maturité...* » (12).

Ces contes, il conviendra de savoir les choisir : ainsi, on accordera une grande place à ceux de GRIMM par rapport à ceux de PERRAULT écrits d'abord pour un public d'adultes « avertis ». On n'usera que très modestement des images qui orientent trop l'interprétation et ne permettent pas au conte d'exercer ses influences les plus toniques sur l'imagination ; on évitera les adaptations des circonstances, notamment celles qui ont pour but d'éluder les passages cruels ou certaines chutes qui paraissent excessives (la mort de la reine dans Blanche-Neige). Les contes sont des œuvres dont la structure et les composantes ont été peaufinées par la tradition. Ils fonctionnent comme des horloges complexes et parfaites. Les seules adaptations qu'ils autorisent ne sont pas sémantiques ; ce sont les modifications lexicales et intonatives qui les rendent plus vivantes pour chacun des publics auxquels *ils sont dits.*

A L'ECOLE ELEMENTAIRE

Les objectifs possibles

La nourriture constitue *un thème* très vaste, trop vaste, sans doute, pour être abordé globalement à l'école élémentaire. Un grand nombre d'entrées sont possibles, autorisant l'investigation systématique d'un *centre d'intérêt* s'inscrivant dans ce thème : « Les commerçants de mon quartier », « le travail du boulanger », « la journée de Madame X., mère de famille sans profession », « la cantine de l'école », « que mangeons-nous pendant une semaine chez nous et que mangeaient nos parents à notre âge, et nos grands-parents ? », etc.

Il apparaît d'évidence que les maîtres auront intérêt à ancrer l'activité pédagogique *dans le milieu de vie des élèves,* de privilégier une approche de caractère *multidisciplinaire,* d'éviter les généralités trop syncrétiques, les inductions trop rapides, les déductions amalgamantes : travailler sur un thème global ne signifie pas que ce travail manquera de rigueur et de précision.

Ainsi, les activités d'éveil mises en œuvre dans la perspective du tiers-temps pédagogique et du décloisonnement des disciplines

(12) BETTELHEIM (B.), *opus cité.*

(décloisonnement des disciplines entre elles mais aussi décloisonnement à l'intérieur de chacune d'elles), peuvent constituer la colonne vertébrale d'une pédagogie réellement active, centrée sur l'initiative des enfants, visant le développement de leurs facultés cognitives, prenant en compte et en charge leur développement psychogénétique et les considérant dans leur environnement social et familial pour connaître et respecter leur identité socio-culturelle ; elles sont, au total, une pédagogie globale, luxuriante, féconde, où chaque centre d'intérêt se présentera sous la forme d'une *étude de forme modulaire, qui viendra s'articuler avec souplesse mais sans artifice avec les autres travaux modulaires pour constituer un système de connaissances parfaitement structuré.*

Une lecture attentive des *Instructions Officielles* confirme d'ailleurs ces affirmations : la pédagogie de l'éveil est apparemment, mais apparemment seulement, fragmentaire, discontinue ; *en fait, si c'est un puzzle, il est organisé, programmé dans ses grandes lignes par le maître, mais il admet les aléas, les vitesses relatives du cheminement des enfants.*

> « La démarche n'est plus progressive comme avant, où les disciplines étaient bien délimitées, avec une progression propre, bien que l'environnement soit pluridisciplinaire et que, même la première approche soit globale. C'est pour cela, d'ailleurs, qu'on avait dégarni, à la base, toutes les activités ; on les avait réduites, au cours préparatoire, à l'apprentissage de mécanisme, parce que l'on considérait, bien sûr, que l'approche ne pouvait pas être disciplinaire dès ce cours. Ce puzzle que sont les activités d'éveil ne doit pas en être un pour le maître... *les finalités* et les objectifs sont bien déterminés » [13].

Il reviendra donc au maître de définir précisément les objectifs qu'il assigne à sa démarche et de prévoir les modalités *de leur articulation* : ces objectifs, en effet, sont hiérarchisés et se présentent selon deux niveaux, au moins.

* Nous aurons, par exemple *des objectifs de caractère plus instauratif.* Ainsi, à propos de la nourriture on peut choisir de répondre aux questions suivantes :

— Se nourrir : pourquoi ?

— Qui se nourrit ?

— Comment ? etc.

---

(13) L'Inspecteur Général DULAU : *conférence* prononcée à l'E.N. de Guéret le 12-02-1975. Le CRDP de Limoges a publié les minutes de cette conférence sous le titre : « Du texte d'Orientation à la Mise en œuvre des Activités d'Eveil à l'Ecole élémentaire ». C'est nous qui soulignons.

Ces questions ayant pour but la prise de conscience globale du phénomène nutritif, de ses caractères constants et des grandes catégories de modes nutritionnels liés aux classes et aux espèces.

* Mais nous aurons aussi, chemin faisant, *des objectifs plus réductifs* qui apporteront la matière informative, les éléments explicatifs permettant d'atteindre les premiers. Sur le thème de la nourriture on peut imaginer des centres d'intérêt autour des questions suivantes :

— Parmi les animaux que je connais, qui mange quoi ?

— Avec quoi et comment ces animaux mangent-ils ?

— Que mange-t-on, quand et comment à la maison ?

• Peut-on imaginer un « menu robot » quotidien, hebdomadaire pour les familles des enfants de la classe ?

• etc.

On comprend l'intérêt d'une telle hiérarchisation des objectifs ; les objectifs réductifs sont ceux qui polarisent l'intérêt des enfants ; ce sont eux qui permettent des travaux vivants, des recherches passionnantes parce qu'ils se situent au niveau du concret, de *l'investigation du réel.*

Mais nous n'en sommes, avec ces deux séries d'objectifs qu'*au niveau du contenu,* or, si ces contenus sont utiles et nécessaires en tant que tels, leur intérêt véritable réside ailleurs. Ce qui est le plus important, en effet, c'est le *programme pédagogique* qu'ils permettent de réaliser. Qu'est-ce que ce programme pédagogique ? C'est *l'outil* (contenu + méthodologie) *qui va permettre le développement intellectuel, affectif et physique de l'enfant,* c'est celui qui va, en tenant compte du stade de développement qui est actuellement le sien, favoriser l'installation de nouvelles possibilités conceptuelles, logiques, l'affinage des facultés sensorielles, l'épanouissement de l'affectivité et de la sensibilité, la maîtrise du schéma corporel, le développement des performances physiques.

Pour la clarté de l'exposé, nous avons séparé le programme des contenus du programme pédagogique. En réalité, l'un ne va pas sans l'autre ; il est fallacieux de parler de l'acquisition des connaissances sans évoquer les modalités pédagogiques de l'apprentissage, il est vain de réduire un processus de formation au pur schéma méthodologique ; le schéma ci-contre proposé *montre l'interaction dialectique des deux programmes mis en œuvre dans une pédagogie de l'éveil.*

Une telle pédagogie devra favoriser en particulier :

a) *L'approche du, et le contact avec le milieu, dans des situations mettant en jeu des nécessités de communiquer de manières diverses et contingentes.* Les situations feront donc apparaître des *problèmes.*

Par exemple, si nous travaillons sur le thème : « SE NOURRIR » :

— Enquête auprès des parents :

Le menu hebdomadaire de la famille.

Celui du père ou de la mère quand il ou elle était enfant.

Celui d'un grand-parent au temps de sa jeunesse.

b) *L'investigation plus systématique du milieu ou de la situation et la prise en considération des problèmes rencontrés et définis.* Cette investigation utilise des techniques qu'il convient de maîtriser parfaitement pour :

• effectuer une enquête ;

• procéder à une moisson d'informations ;

• traiter des corpus,

• des documents ;

• etc.

Ces techniques font appel à des moyens audio-visuels, donc elles exigent des apprentissages technologiques élémentaires.

— Mise au point d'une visite enquête chez le boulanger.

Quels renseignements veut-on obtenir ?

Comment va-t-on les fixer ?

Qui fait quoi dans la classe ?

Quelle réalisation finale vise-t-on ?

Critères du tri des documents ?

c) *Le traitement des informations recueillies :*

Cette activité suppose la mise en œuvre *du programme pédagogique* évoqué ci-dessus visant, donc, les développements conceptuel, symbolique, logique, affectif et physique de l'enfant.

. *le développement conceptuel* portera sur les principaux types de raisonnements mis en œuvre dans les situations vécues pour résoudre les problèmes rencontrés :

• Les circuits des produits alimentaires.

• La transformation des produits.

— raisonnements par analogie,

— raisonnements par opposition,

— raisonnements par implication.

Les opérations se fondant sur la comparaison seront fréquentes, mais il conviendra de prévoir progressivement d'autres modalités (simulation, supposition...).

. *Le développement des possibilités symboliques* de l'enfant s'appuiera sur la notion de code et sur ses possibilités de distanciation par rapport aux différents plans de l'expression orale ou écrite :

— décrire (incluant le faire et le dire de faire),

— s'exprimer (dans le sens de l'expression de ce que l'on ressent),

— créer (la poésie étant une réalisation possible parmi d'autres).

Ou encore par rapport à l'analogique, au diététique et au fantasmatique. A ce propos, on aura intérêt à faire prendre conscience à l'enfant, dès 7 ou 8 ans, de ce qui constitue la part du dénoté et celle du connoté (ce qui est explicite, ce qu'ensemble nous ajoutons).

. *Le développement logique* sera favorisé par l'emploi fréquent des opérations visant l'organisation des données :

— trier,

— sérier,

— classer,

— mettre en relation,
ces opérations (parmi d'autres) constituant la phase d'observation et d'analyse ;

— organiser ou reconstituer des systèmes : c'est la phase de synthèse et d'induction ;

— intégrer, par réemploi, les systèmes élaborés ou reconstitués dans d'autres situations (réelles ou fabriquées) : c'est la phase déductive.

. *Le développement affectif* portera sur la *sensibilité grégaire* et sur *la sensibilité esthétique*. (Certaines activités comme le mime, l'expression corporelle, le jeu dramatique, la danse collective,

• L'évolution des habitudes alimentaires.

• Notions élémentaires de diététique.

• Les chaînes alimentaires.

• La publicité pour la consommation alimentaire.

• Lire les étiquettes.

• Fabriquer des affiches, des étiquettes.

• Fabriquer des algorithmes symbolisant les achats :

— quotidiens,

— hebdomadaires,

— épisodiques des parents en matière d'aliments.

• Chez l'épicier :
établir une typologie des produits vendus par l'épicier :
Ex. - produits naturels

• non conditionnés

• conditionnés

- produits naturels ayant subi une préparation

- produits transformés

- etc.

• Mimodrame : chez l'épicier.

Danse de la confection d'un plat, etc.

constitueront l'articulation possible entre ces deux formes de sensibilité).

. *Le développement physique* visera notamment la maîtrise du schéma corporel, la parfaite latéralisation mais aussi l'aisance du corps et l'habileté gestuelle dans des situations familières ou ludiques.

• faire la cuisine ; éléments simples de diététique.

d) *La pratique du travail en groupes* avec mise en commun au cours de réunions plénières, ces dernières permettant la réalisation des différentes étapes du programme de travail sur le thème.

e) *La possibilité pour chacun, quel que soit son niveau, de participer à la mesure de ses moyens, certes, mais pleinement,* aux activités de la classe et de progresser.

• Recherches sur les habitudes alimentaires d'autres pays.
• Les productions agricoles françaises.

f) Un travail s'attachant à des sujets suffisamment généraux, s'inscrivant dans le thème et autorisant *une grande variété de parcours individuels et collectifs,* ces sujets n'étant évidemment pas abordés dans la perspective desséchante d'une stricte monographie.

• Organisation d'un numéro spécial du journal de la classe sur le thème « Comment se nourrit-on ? »

g) Un travail comportant *des démarches socialisantes :* le traitement du thème peut donner lieu à des productions qui pourront être prétexte à des échanges, des rencontres, des manifestations diverses, susceptibles d'étendre la communication à d'autres enfants, à des adultes (parents, habitants du quartier visités lors des diverses enquêtes, etc.) et permettant ainsi un échange critique particulièrement riche.

• Organisation d'une exposition : critique d'étiquettes, de produits alimentaires ; sont invités : les élèves des autres classes et les parents des élèves de l'école.

Les étapes d'un travail sur thème

LE GROUPE-CLASSE CHOISIT LE THÈME

Faisons l'*inventaire des critères* de ce choix :
Possibilités matérielles et institutionnelles ;
Priorités d'urgence (signalées par le vécu quotidien des enfants) ;
Intérêt des enfants ;
Fécondité du sujet, notamment dans le domaine linguistique ;

Possibilités d'extension notamment dans le sens du *décloisonnement* des activités scolaires.

Il est bon, comme *préparation* au travail, de procéder à *l'inventaire des informations et des connaissances* dont dispose le groupe
sur le thème choisi, *de ses moyens cognitifs* et d'évaluer *sa pratique effective* des situations qu'il est prévu d'aborder.

Il convient donc de programmer une série d'exercices, des jeux
fonctionnant *comme des tests de performances* à tous les niveaux
de la préparation.

▶ Cette étape, en somme, est celle de la définition des objectifs
à atteindre.

LE GROUPE-CLASSE MET AU POINT LE PROGRAMME DE VISITES, D'ENQUÊTES ET D'EXPÉRIENCES

Le groupe-classe va donc, dans une deuxième étape, réaliser un
programme de visites, d'enquêtes et d'expériences *qui constitueront l'ensemble des situations vécues par lui.*

Quels seront les niveaux de cette préparation ?

Il conviendra de prévoir :

• *la préparation matérielle :*

— le budget (en relation avec la coopérative de la classe et de
l'école),

— les autorisations nécessaires (demandes rédigées par ou avec
les enfants),

— les moyens de transports,

— les contacts avec les responsables, les personnes visitées,

— le matériel audio-visuel nécessaire,

— les produits fongibles, etc.

• *la préparation pédagogique :*

— les outils pour *l'observation :* l'enquête, les interviews (la mise
au point des questions est un moment pédagogique important),
etc.

— les outils pour la *description :*
de situations, d'objets, de processus, de fonctions, etc.

— les outils pour réunir les informations souhaitées et pour les stabiliser :
enregistrements sur bandes magnétiques, photographies, prise de notes, schémas, maquettes, plans, etc.

▶ Cette étape est celle de la définition et de l'élaboration des moyens à mettre en œuvre pour que la situation vécue par les élèves autorise une exploitation pédagogique riche et positive.

LE GROUPE-CLASSE EXPLOITE LES INFORMATIONS RECUEILLIES

a) *Les outils*

Le groupe-classe *exploite les informations* recueillies lors des expériences vécues en commun. Le travail par équipes rendant compte au cours de réunions plénières est particulièrement indiqué.

A cette fin, la classe doit se doter d'une série de *moyens* qui sont autant d'*outils cognitifs* pour :

• les ordonner,

• les classer,

• trouver des relations pertinentes,

• passer de leur analyse rigoureuse à leur synthèse dynamique,

• cf. b) : Les productions.

▶ Cette étape est celle de la maîtrise de possibilités conceptuelles et logiques nouvelles, adaptées aux situations vécues par les enfants.

b) *Les productions*

Cette exploitation donne lieu à une série de *productions orales et écrites,* à des dessins, des plans, des schémas, des maquettes, des dossiers, des panneaux d'affichage, des expositions, des montages de diapositives sonorisés, des brochures, un journal, des lettres à des correspondants d'autres écoles, une soirée-débat sur le thème à laquelle sont invités les parents, etc...

Il nous paraît important que *toute production finale constitue le prétexte et l'occasion d'une manifestation culturelle ou sociale qui élargit l'audience du groupe-classe.*

Cette exploitation prévoit *l'induction et la déduction des schémas, des principes, des processus et des fonctions mis en évidence,* à d'autres situations relevant de critères, de paramètres identiques. Les transferts de concepts ou de schémas logiques à d'autres situations constituent autant de *tests* qui permettent le *contrôle de l'intégration des outils cognitifs et des connaissances.*

▶ Cette étape ultime est celle du contrôle des acquisitions conceptuelles et logiques.

Schéma dessinant l'itinéraire théorique de la démarche du groupe-classe *

1ᵉʳ TEMPS

Amener le groupe-classe *à vivre* des *situations réelles, concrètes,* les plus proches de celles que vivent quotidiennement les élèves.

Thème : SE NOURRIR

Centre d'intérêt : Les commandes hebdomadaires pour le restaurant de l'école.

Les élèves se proposent de se rendre eux-mêmes chez les commerçants du quartier ou de leur téléphoner afin de passer *réellement* commande des marchandises nécessaires pour le fonctionnement hebdomadaire du restaurant de l'école.

2ᵉ TEMPS

Evaluer *le rapport* de la classe et de chaque enfant à ces situations ; l'analyser par des tests.

Les enfants, avant les visites ou les communications téléphoniques, ont-ils :

— évalué globalement la situation,

— défini leurs objectifs avec une précision suffisante,

— prévu les opérations à accomplir ?

---

* Ce schéma doit permettre à l'enseignant de situer ses propres interventions.

Une première série de visites ayant été faites, comparer le prévu et le vécu. Par des jeux de rôles, des jeux et exercices oraux et écrits, juger si les oublis, les erreurs et les maladresses constatés sont dus à l'inattention, à des ignorances, à des impossibilités mentales tenant au développement psycho-génétique des enfants.

3° TEMPS

Donner au groupe-classe *la possibilité et les moyens de s'exprimer* dans les situations privilégiées en mettant en œuvre *toutes les facultés d'expression* des enfants :

  physiques,
  orales,
  écrites,
  manuelles,
  esthétiques, etc.,

et ce, *à tous les niveaux de leur besoin de communiquer :*

  intellectuel,
  moteur,
  affectif.

C'est le temps de la perception globale (approche du milieu).

Etude du menu hebdomadaire.

— Que faut-il commander ?

— Quelle quantité (établissement d'un projet financier) ?

— Chez qui faut-il aller ?

Réalisation d'un algorithme des visites et des communications téléphoniques.

Rédiger des modèles de commandes écrites pour confirmer les commandes orales.

Jeux de rôles pour préparer les visites et les communications téléphoniques ; technique de la discussion ; apprendre à marchander avec des arguments rationnels, (économie du restaurant) et non subjectifs.

Mimodrame évoquant les discussions, les communications téléphoniques.

Essais de traduction par les sons, le rythme, la musique.

4ᵉ TEMPS

Fournir au groupe-classe ou l'aider à découvrir les moyens et les outils pour objectiver cette expression et l'amener à prendre conscience d'un certain nombre de *problèmes* * à les mettre en évidence, les décrire, les ordonner, les classer. C'est le temps de l'analyse.

Stratégie de la commande orale :

— l'entrée en matière (relation sociale à la fois humaine et pragmatique) ;

— la commande : précision nécessaire. Quels sont les éléments de cette précision ?

— les conditions du commerçant (rapport prix-qualité) ;

— l'éventuelle discussion (les arguments, leur hiérarchie) ;

— les exigences du client :

• qualité,

• présentation, conditionnement...

• délais de livraison, etc.

— synthèse et formule de politesse.

La confirmation écrite.

— établir une lettre-type pour passer commande en utilisant les archives du restaurant de l'école.

Problème budgétaire : les dépassements, les compressions

Utilisation de pense-bêtes pour ne rien oublier !

— l'algorithme d'ensemble ;

— le programme quotidien.

5ᵉ TEMPS

Doter le groupe-classe des moyens et des outils (ou l'aider à les découvrir) pour trouver *des solutions* appropriées et les mettre à l'épreuve des faits.

C'est le temps d'expérimentation.

Nouvelles visites aux commerçants et nouveaux appels téléphoniques.

---

* « Si l'enfant a un problème, s'il a posé une question, c'est qu'il veut une explication convenant à son âge : il faut la lui donner. » Inspecteur Général Dulau, conférence prononcée à Guéret le 12-02-1975 sur le thème : « Du texte d'orientation à la mise en œuvre des activités d'éveil à l'école élémentaire. »

Etudes de documents de commandes : typologie.

Déterminations des informations et classement en fonction de la typologie établie :
— celles que l'on retrouve toujours ;
— celles que l'on retrouve souvent ;
— les autres (pourquoi les trouve-t-on moins fréquemment ?).

Inventer des modèles de commandes :
— pour des produits, des articles réels ;
— pour des produits, des articles imaginaires (commande poéti-que).

Toutes les commandes de la classe (fournitures, livres...) seront dorénavant passées par la classe.

Planning d'un maître de C.M. sur le thème « se nourrir »

N.B. : Les différents aspects distingués ici ne sont pas à classer mais à articuler. Nous les énumérons simplement pour la commodité de l'exposé.

OBSERVATION
Actualité : un fait de vie, un problème actuel...

DOCUMENTATION   SE NOURRIR   ENQUÊTE

STRUCTURATION - EXPLOITATION

---

des opinions et comportements aux attitudes profondes :
émergence d'une *éthique* de la nutrition à partir du *discours* (oral ou écrit) tenu sur la nourriture :

— entretiens spontanés ou semi directifs,

— expression libre,

— relation de faits de vie,

— textes, informations, documents divers...

détermination *de situations* découpant des *champs sémantiques*, des *actes de paroles* renvoyant à des *intentions énonciatives.*

Exemples :

• L'expression économique, politique ou philanthropique de la faim.

• Du menu familial au menu sophistiqué.

• De la fiche-recette fonctionnelle à la description littéraire d'une recette régionale, etc.

EXPRESSION MATHÉMATIQUE

Les quantifications possibles :

— calcul d'un budget alimentaire familial ;

— calcul du budget hebdomadaire de la cantine scolaire ;

— calcul de rations alimentaires ;

— poids net, poids brut, tare ;

— calcul de pourcentage ;

— algorithme pour
  • la confection d'un plat,
  • la confection d'un menu,

— Poids et volumes des échanges alimentaires
  • au magasin,
  • pour une ville,
  • pour un pays,
  • entre pays, etc.

rapports du quantitatif et du qualitatif :

— les coûts possibles d'un même menu ;

— rapport entre le volume des aliments et leur apport énergétique.

DIMENSION HISTORIQUE

évolution des habitudes alimentaires
— que mangeait-on à telle époque ?
— qui ?
— Comment ?
— où ?

évolution du statut social d'un aliment :
ex. : le poisson

évolution du travail pour obtenir un aliment, du traitement de cet aliment :
ex. : le pain

EDUCATION PRATIQUE ET QUALITÉ DE LA VIE

Education du consommateur
— lire les étiquettes : « on n'achète pas un chat dans un sac » ;
— confectionner un menu hebdomadaire, journalier, un repas ;
— manipuler la nourriture : le conditionnement, la réfrigération ; la préparation des aliments ;
— lire une carte et commander un repas.

Industrialisation alimentaire et qualité : vers la cuisine toute faite, à tous les âges ;
— les exigences de la cuisine (pécuniaire, de temps, de matériel, de travail) ;

— le restaurant, ses différentes fonctions $\begin{cases} \text{individuelle,} \\ \text{sociale,} \\ \text{économique.} \end{cases}$

DIMENSION BIOLOGIQUE

la fonction de nutrition : croissance, énergie

les rations alimentaires, les vitamines

les chaînes alimentaires

écosystème et protection des milieux

hygiène et diététique (initiation)

Dimension esthétique et ludique

Graphiques divers

Dessins libres

Bande dessinée
« Flip book »

Affiche

Musique, danse

Mimodrame etc.

Poésie

Inventer des recettes, des menus, des rites, des échanges imaginaires...

Inventer des manières nouvelles de s'alimenter...

Technologie élémentaire

Utilisation d'appareils électro-ménagers simples

Manipulation directe de la nourriture
— peler, éplucher, râper, gratter, couper, écraser, mixer, broyer, battre, etc.

Les appareils de cuisson, de traitement, de conservation, des aliments (étude) etc.

Vers l'économique

La place de la nourriture dans la vie familiale, sociale, économique

Les échanges ayant la nourriture pour objet :
— à la maison,
— dans le pays,
— dans le quartier,
— dans le monde.

Les cycles des produits alimentaires :
— naturels,
— fabriqués etc.

Documents annexes

MENUS D'HIER ET D'AUJOURD'HUI...

Nous avons relevé sur le cahier d'un élève du CMI d'une classe rurale creusoise ces menus.

Repas quotidien

Aujourd'hui	Au temps de ma grand-mère
Déjeuner	pommes de terre au lard
vinaigrette	salade
bifteck	fromage
frites	
salade	
fromage	
fruits (pommes)	
Dîner	Souper
potage aux légumes	pommes de terre au lait
viande froide	ou
pommes de terre sautées	châtaignes au lait
salade	fromage
fromage	fruits (de saison)
tarte	
A l'école	(Sous le préau)
potage	un œuf dur
viande rôtie	ou du chocolat
pommes de terre vapeur	ou du fromage
fromage	avec du pain
dessert	fruit

Observations de l'élève :
La nourriture, aujourd'hui, est plus variée, plus abondante.

Fiche de préparation d'un maître de CM

(Récapitulation des directions de travail d'un thème sur les aliments)

	LE FAIT ALIMENTAIRE	
← Une nécessité (vers la maladie)	→ un plaisir →	une anomalie → (vers la maladie)
Se nourrir	le plaisir de manger	la goinfrerie
nécessité biologique	individuel : - le bon - le mauvais - la satiété	individuelle * biologique : autodestruction * morale : dégradation vers l'oralité la plus régressive
nécessité sociale	social : - manger ensemble - communiquer - échanger	sociale : décadence, abêtissement, fascisme
nécessité économique	économique : - acheter - vendre - produire	économique : économie de gaspillage ; appauvrissement relatif des sociétés « en voie de développement ».

impliquant :

— un travail pour produire, conditionner, acheminer la nourriture (domaine de l'économie) ;

— un travail pour gagner l'argent nécessaire pour se nourrir ou nourrir sa famille (domaine du social, du familial) ;

— un travail pour préparer les repas (id.) ;

— un travail intellectuel et physiologique : penser sa nourriture et l'ingérer, la digérer (domaine individuel).

AU C.E.S. ET AU C.E.T.

Si nous avons aussi longuement insisté sur les caractéristiques méthodologiques d'une pédagogie active, prenant appui sur des thèmes larges et riches comme celui de la nourriture thèmes susceptibles d'intéresser les enfants, c'est que ce type de pédagogie pourrait aussi renouveler l'enseignement dans les C.E.S. et les C.E.T.

Certes, a priori, les conditions sont différentes. L'enseignement y est partagé en matières et chacune fait l'objet d'un programme particulier. L'emploi du temps de l'établissement, dont la complexité croissante frise l'absurde, ne permet guère aux professeurs de se rencontrer et de travailler ensemble. Sans doute, si le directeur bénéficiait d'un capital d'heures pour la concertation et la préparation d'actions communes, des liaisons transversales seraient-elles possibles. Elles sont très souvent souhaitées car la solitude de l'enseignant dans sa classe lui est de plus en plus pénible et lui paraît quelque peu stérilisante. Des initiatives sont déjà mises en œuvre dans certains C.E.S. et C.E.T. pour permettre la constitution d'équipes et favoriser leur fonctionnement : il faut cependant convenir que presque tout reste à inventer dans ce domaine.

Le « 10 % » a nourri beaucoup d'espoir. Il n'a que rarement tenu ses promesses. Plusieurs raisons à cet échec partiel : la difficulté de mettre en œuvre des expériences nouvelles, audacieuses, dans une institution lourde, tatillonne et timorée, à court d'imagination. Certaines équipes ont été découragées par la complexité des formalités à accomplir, des garanties à obtenir avant même de commencer à travailler avec les élèves. Il faut dire aussi que les parents n'ont pas toujours compris les initiatives des professeurs et ont parfois contribué à leur déception, à l'abandon de leurs projets. Il faut avouer, enfin, que rien dans la formation des enseignants, ne les a préparés à assumer des expériences difficiles à animer, à coordonner, à utiliser...

Quelquefois, cependant, l'expérience a réussi. Un groupe de professeurs s'est constitué et, à partir d'expériences vécues en commun avec les élèves (voyages, visites-enquêtes, réalisations collectives, etc.) a pu travailler sur des thèmes et décloisonner les cours en établissant des liaisons horizontales entre chacun.

Leurs initiatives (nous en donnons un exemple dans les pages qui suivent) préfigurent sans doute une rénovation fondamentale dont on sent poindre, çà et là, la nécessité et des éléments d'expérimentation, sans pour autant qu'elle se dessine avec suffisamment d'évidence et de force. Ce nouvel enseignement fonctionnerait *selon deux coordonnées* de type cartésien :

— *en abcisse nous aurions les matières actuellement enseignées.* Mais, au lieu d'autonomiser leur contenu, elles apparaîtraient réellement comme des *langages et des outils* pour traiter la réalité, le vécu.

— *et ce vécu apparaîtrait dans un programme résumé en ordonnée,* lequel prévoirait une série non exhaustive de *grands thèmes qui fondent notre vie :* la nourriture est un de ces thèmes essentiels. Il est frappant d'ailleurs de constater que la fiche de l'instituteur reproduite en annexe II du chapitre précédent (fiche intitulée « Le fait alimentaire ») préfigure grossièrement une telle forme d'enseignement que les activités d'éveil tentent de réaliser (cf. fig. 4), même si la formation des maîtres ne leur garantit pas toutes les chances de réussite et d'efficacité.

Ces grands thèmes seraient le prétexte à des approches différentes pour chaque matière. Cela ne signifie pas que toutes les heures de chacune seraient exclusivement consacrées au thème ; *mais celui-ci constituerait la colonne vertébrale de la démarche éducative de l'équipe enseignante, à un moment donné et pour un temps donné.*

Deux types de démarches sont alors possibles ; après que l'on ait procédé à un inventaire exhaustif des thèmes qu'il est souhaitable d'aborder pendant la scolarité de l'enfant et du jeune, l'on peut :

• Répartir ces thèmes sur le temps de la scolarisation ; on décidera d'aborder tel thème plutôt en 6e ou en 5e, tel autre en 4e, tel autre sera réservé à la 3e.

• Reprendre les mêmes thèmes tout au long de la scolarité.

Il ne paraît pas souhaitable d'opter définitivement pour l'une ou l'autre solution. Certains thèmes moins vastes peuvent être attribués à telle ou telle classe, d'autres plus fondamentaux et plus complexes, c'est le cas de la nourriture, gagneront à être repris et approfondis pendant plusieurs années.

LA FAIM DANS LE MONDE :
FACTEURS GEOGRAPHIQUES GENERAUX

Problème de la faim ; Motivation : Que savez-vous de la faim ?

— La faim, qu'est-ce que cela évoque pour vous ?

— Vous arrive-t-il d'avoir faim ? Quand ?

— Est-ce un « problème », pour vous ?

— Pourtant on parle de « la faim dans le monde » : qu'est-ce que cela veut dire ? Quel est le sens du mot « faim » dans cette perspective ?

— Pensez-vous que ce problème se pose en 1978 en France ?

Documentation

— *Recherche de documents* : prospectus, coupures de presse, photos, compte rendus d'émissions sur ce problème.

— *Enquêtes « sauvages »* pour apprendre ce que sait et pense le public (enquête d'opinion).

— *Interviews de personnes plus compétentes* : personnalités politiques, responsables de services, universitaires, etc.

Les pays de la faim

— Etude générale du planisphère.

— Etude des cartes amenées par les élèves.

• regrouper ces études selon les paramètres suivants :

Les rations alimentaires	Opérer
L'accroissement démographique	des croisements
Le revenu national	et conclure sur
La consommation d'énergie	ce chapitre

Les facteurs géographiques

— Evolution de la population mondiale (travaux sur documents)

— Répartition des richesses dans le monde
Pays développés et pays sous-développés
La production alimentaire du globe

Les possibilités d'accroissement :
— des terres cultivables,
— des rendements.

ÉTUDE DE QUELQUES PAYS

— la Chine
  • c'est un pays très peuplé ;
  • la surface des terres cultivées n'est pas suffisante ;
  • les grandes réformes ;
  • les résultats ;
  • les problèmes.

— le Brésil
  • la population ;
  • la situation alimentaire ;
  • les ressources ;
  • la politique actuelle ;
  • les résultats ;
  • etc.

Il s'agit dans ce cas d'un tableau portant sur les contenus. Comme nous l'avons déjà expliqué pour les élèves de l'école élémentaire, il nous semble que l'on doit viser le développement intellectuel, affectif et sensible de l'enfant, de même que son épanouissement physique et sa maîtrise motrice. Quand il entre au C.E.S. à onze ans, l'enfant aborde tout juste le stade des opérations formelles. Il commence à maîtriser le raisonnement hypothético-déductif. Mais son développement intellectuel n'est pas pour autant achevé : il lui faut se roder à des conceptualisations de plus en plus poussées, à des opérations de plus en plus complexes. C'est aussi le temps de la crise pubertaire qui débute, avec son retour au moi corporel et au moi psychique ; c'est l'époque des soucis théoriques, des doutes, des jugements excessifs et contradictoires : l'enfant prend conscience de son existence dans l'espace et dans le temps.

Si la méthodologie explicitée à propos des activités à l'école élémentaire reste valable dans son principe et dans son déroulement, elle doit cependant s'affiner pour permettre à l'enfant d'aller plus loin. Toutes les données recueillies et structurées, sur le problème de la nourriture, sont reprises, *soumises à des analyses plus exigeantes et replacées dans le cadre et la perspective d'une réflexion plus ample.*

● Au plan personnel, cette réflexion doit fournir au pré-adolescent les éléments pour un comportement autonome, maîtrisé, d'une personnalité intégrant bien le « ça » et le « surmoi » ; au terme d'un travail minutieux et habilement conduit sur le thème de la nourriture et des rapports qu'il entretient avec la fonction de nutrition, *l'élève doit disposer des éléments d'une éthique qui l'aidera à traverser le stade de la puberté et de l'adolescence.*

● Cette analyse, cette réflexion enrichiront sa connaissance du problème, bien sûr, connaissance scientifique (la fonction de nutrition, les synthèses et les métabolismes, la ration alimentaire, les protéines, les vitamines, les matières minérales, le rôle de l'alimentation dans le développement de l'enfant et de l'homme, les chaînes alimentaires, etc.), connaissance économique, sociale, et culturelle, connaissance politique, connaissance historique, mais cette connaissance lui permettra *d'autres investigations plus complexes.* Par exemple, il s'interrogera :

— *sur la relation qui existe entre les modes de nutrition, la qualité de la nourriture et la distance des sources d'approvisionnement ;* jadis, un milieu rural vivait le plus souvent de manière autarcique. Aujourd'hui, les milieux s'ouvrent et communiquent. Etudier les modifications que cette ouverture a apportées aux habitudes alimentaires est un axe de recherche particulièrement fécond :

— à propos de l'influence de l'industrialisation alimentaire sur les mœurs, sur la qualité de la nutrition.

— sur la sémiotisation de l'activité nutritionnelle ; entre l'homme et son milieu de vie, la couche des signes s'épaissit et modifie ses relations avec le réel. Les cheminements de la connotation sont de plus en plus complexes et brouillent la piste première des besoins et des intérêts ; un système de signes naît (et prolifère) sur un autre, et non plus des rapports directs de l'homme avec le monde ; l'appréhension et la domination des phénomènes passent par des cheminements de plus en plus excentriques, voire complètement décentrés. Ainsi, le rituel du choix de la nourriture et de sa consommation est tempéré et modulé par des désirs psycho-sociologiques marginaux par rapport à la fonction élémentaire, mais de plus en plus importants et différenciés dans le groupe social : être à la mode (la culture, dans la société actuelle est de plus en plus perçue dans sa manifestation actuelle, caduque et sans cesse renouvelée), vivre un statut et un rôle valorisant, honorer l'hôte pour affirmer l'image que l'on veut donner de sa propre intégration à ce rôle et à ce statut, faire aussi du repas, contre l'ennui qui ronge cette société, un moment de loisir privilégié (le ludique le disputant au sacré), etc. Chacune de ces motivations engendre un code qui se combine avec les autres, s'y conforte et les renforce ; les stéréotypes agissent comme des tropismes et la fonction nutritive est amalgamée dans un réseau de probations psycho-sociales diffus, omniprésent, totalitaire en définitive, puisqu'il renvoie, en dernière instance, au fonctionnement économico-politique d'un type de société.

Une action d'éducation, si elle se propose de fournir à l'enseigné des outils pour qu'il puisse conquérir et affirmer son autonomie, sa maîtrise dans le dédale des occasions et des sollicitations économiques, doit tenter le déchiffrement des signes pour retrouver le parcours le plus objectif qui va de l'accessoire à l'essentiel, du superflu au nécessaire, du sophistiqué à la fonction rigoureuse.

● Dans cette étude, dont nous ne souhaitons pas le moins du monde qu'elle aille dans le sens de certaines idéologies stoïciennes, malthusiennes ou pseudo-écologiques à la mode, mais dont nous voulons, tout au contraire, qu'elle vise l'objectivation de certains phénomènes et de certaines tendances de notre société, révélant ainsi les orientations de sa dynamique économique et sociale, nous demandons qu'une large place soit accordée aux media. Il nous paraît important, à leur propos, qu'un travail en trois étapes soit prévu.

— *Quels comportements,* au niveau alimentaire par exemple, veut-on susciter par les media : affiches et films publicitaires, émissions de radio ou de télévision, presse quotidienne et hebdomadaire, etc. ? On remarquera vite, d'ailleurs, l'ambiguïté des messages. Parfois, le produit alimentaire est directement présenté, valorisé explicitement par les qualités qu'on lui prête ; souvent par contre, ce sont par des cheminements plus complexes que le projet publicitaire agit : le produit doit être acheté parce qu'il est plus économique, parce qu'il est le signe d'un certain « standing », parce qu'il prouve et exalte la jeunesse de celui qui l'acquiert.... Mais il y a aussi des media où le besoin nutritif n'apparaît presque jamais ; c'est le cas par exemple des bandes dessinées. L'absence est tout aussi significative que la pléthore ; encore faut-il les constater et, donc, analyser les textes (linguistiques et iconiques) ; on découvrira vite que les fonctions diédétiques et psycho-sociales assumées par certains héros (ce fut vrai, aussi, pour le cinéma au temps du « star-system ») exigent qu'ils n'entretiennent avec la nourriture que des rapports sublimants ou nuls.

— *Quels arguments* les media utilisent-ils pour arriver à leurs fins ? Nous l'avons vu, l'argumentation peut être directe ou indirecte ; elle est de plus en plus insidieuse. On ne dit plus aujourd'hui : « Mangez ce fromage, c'est le meilleur ! » On dit plutôt : « Vous êtes un cadre jeune, actif qui a tendance à se surmener. Votre vie exige — et vous les méritez amplement ! — des moments de détente et de réconfort : tout le monde vous le dira, X... (ici, le nom du fromage) *est* ce moment : pensez-y ! » Autour du fromage un décor, des objets, des hommes et des femmes font appel à la raison de celui qui hésite encore à accéder à ce rang social qu'on lui propose et impose comme modèle.

La pertinence d'une telle étude est sémiologique dans un premier temps, sociologique par extension. C'est un des rôles importants du C.E.S. et du C.E.T. d'initier les élèves à de telles techniques cognitives ; nous savons d'ailleurs, maintenant, qu'elles les passionnent et qu'elles leur fournissent les instruments indispensables et efficaces de toute lecture (dans la mesure où toute lecture vise la *compréhension instaurative* du texte) : celle d'un article de journal, d'un poème, d'un roman, d'une image publicitaire ; d'une émission de télévision, d'un film, d'une situation sociale fortement sémiotisée (Ah ! les repas d'Anciens... !), d'une société tout entière qui n'est, en définitive, qu'un texte qu'il faut déchiffrer (décrypter) pour pouvoir plus librement y décliner ses choix, ses initiatives, ses créations.

Nous n'avons pas décrit, dans ces pages, une action spécifique aux C.E.T. sur le thème de la nourriture. C'est volontairement : il nous paraît opportun, en effet, de l'envisager de la même manière ; nous proclamons que la formation générale de l'élève des C.E.T. doit avoir la même qualité et la même efficience que celle des C.E.S.

Un point, cependant, nous semble devoir être plus particulièrement développé dans les C.E.T. : celui de la relation entre la nutrition et l'effort professionnel : encore devons-nous préciser que l'étude de cette relation ne doit pas être envisagée dans la perspective d'un rendement et d'une productivité développés aux dépens de la santé et de l'équilibre du travailleur. Dans notre esprit, la recherche de l'alimentation, permettant d'accomplir une tâche professionnelle dans les meilleures conditions physiologiques, vise à préserver le travailleur de toute détérioration physique précoce, de toute usure psycho-somatique anormale.

3

APPRENDRE
LA DIÉTÉTIQUE

Pour qu'une pédagogie de l'alimentation ne soit pas seulement un discours abstrait, il est nécessaire de ne pas laisser dans l'ombre les principes fondamentaux de la diététique. Pour cela, et si l'on veut éviter de très longs commentaires, le plus simple consiste à proposer des exemples d'organisation des menus. Ce ne sont évidemment pas des modèles, mais des propositions qui, comme telles, permettent de multiples adaptations. Les différents publics de l'enseignement obligatoire ont été visés, pour être en harmonie avec le reste de l'ouvrage.

Mais il va de soi que ces menus constituent eux aussi des objets pédagogiques : les enseignants en discuteront avec leurs élèves, avec les parents, avec les autorités qui gèrent les cantines ou les réfectoires. Les élèves-maîtres, qui doivent recevoir une formation diététique, y trouveront de quoi mobiliser leur réflexion et leur attention.

D'une manière générale donc, cette partie consacrée à la diététique concrète et raisonnée. vise à donner à l'ouvrage un ancrage réel et quotidien. Chacun y rencontrera matière à dialoguer et moyen de ne pas couper l'école et la vie.

Le régime alimentaire de l'enfance et de l'adolescence est primordial pour obtenir un état de santé satisfaisant pendant la période scolaire où des efforts importants sont demandés aux enfants :
— attention soutenue,
— horaires lourds,
— temps de trajet parfois important.

L'alimentation doit être
— simple,
— saine,
— èquilibrée, variée,

et doit correspondre aux différents besoins de l'organisme des enfants pendant toute la durée de leur croissance.

Le type d'alimentation n'est pas différent pendant l'enfance entre les garçons et les filles de 6 à 12 ans. Ensuite une diversification est nécessaire en fonction de l'activité physique et en fonction du sexe. En aucun cas cependant les régimes ne sont dissemblables ; ils obéissent tous aux mêmes règles d'hygiène et d'équilibre alimentaire.

Il n'est pas si simple de vouloir bien nourrir des enfants à l'appétit capricieux. Il faut parfois essayer de trouver un moyen pour transformer l'aspect d'un plat, les décors, le cadre de la pièce, les harmonies de couleurs dans un plat, les couverts correctement dressés sur une table. Tous ces détails sont pour certaines catégories d'enfants aussi importants, si ce n'est plus, que le contenu de l'assiette.

En général, nous nous alimentons en fonction de nos habitudes familiales, régionales, nationales.

A l'origine il y avait souvent corrélation entre l'habitude et les besoins. De plus en plus, maintenant, l'abondance de nourriture, l'absence de grande catastrophe font que nous sommes conditionnés par la publicité, les offres de toutes sortes, et que nous tenons de moins en moins compte de nos besoins réels pour satisfaire davantage nos goûts et nos désirs. Ainsi, petit à petit s'accumulent des erreurs qui sont à l'origine des maladies de nos types de société : l'obésité, les maladies cardiovasculaires, les hyperlipémies...

Le schéma du comportement alimentaire humain est le suivant, selon J. Trémolières (« Partager le Pain », Robert Laffont) :

« 1) La décision est finalement déclenchée par une motivation psycho-sensorielle, intégrant le type de sensation de soi (cœnesthésie) produit par l'état biochimique et physiologique et la façon dont on imagine et juge la situation (symboliquement).

2) Les décisions nouvelles sont intégrées dans des habitudes influant en retour sur l'état physiologique.

3) Les habitudes sont intégrées dans les mœurs et coutumes, influant à leur tour sur les motivations symbolisées.

Le tout réalise un système dynamique en perpétuel déséquilibre, donc en évolution. »

les besoins alimentaires

Les besoins peuvent être caractérisés :
- qualitativement en fonction de leur nature,
- quantitativement en fonction de l'activité, de l'âge...
  de l'individu considéré.

Les aliments sont les fournisseurs de l'énergie et des matières de synthèses dont l'organisme a besoin. Ils apportent en outre des éléments non énergétiques indispensables à la vie : eau, sels minéraux, vitamines.

Nos besoins sont énergétiques

Le maintien en vie correspond à un travail de tous les instants de notre corps.

Le travail actif est lié
- au rythme du développement physique du corps : la croissance ;
- aux gestes usuels ;
- à l'activité physique plus ou moins intense : sport ;
- au travail de force ;

- à la régulation thermique de notre corps quelle que soit la température extérieure.

Le travail d'entretien correspond aux fonctions organiques permanentes de base :

- la respiration ;
- la circulation sanguine ;
- les diverses sécrétions de nos cellules ;
- la vie des cellules elles-mêmes.

Nos besoins en énergie sont évalués en Kilocalories * ou Calories des médecins nutritionistes et des diététiciens.

Nos besoins sont satisfaits lorsque nos entrées alimentaires s'équilibrent avec les sorties. Ce qui se traduit chez l'enfant par une croissance harmonieuse et chez l'adulte par le maintien stable du poids :

— si l'activité physique s'accroît, il faut que la consommation d'aliments énergétiques soit augmentée ; en pratique : si les entrées alimentaires sont supérieures aux besoins de l'organisme il y a prise de poids, ce qui se traduit par une augmentation des réserves sous forme graisseuse ;

— si les entrées alimentaires sont inférieures aux besoins de l'organisme, il y a épuisement des réserves, ce qui se traduit par un amaigrissement.

Mais l'apport alimentaire est discontinu, tandis que les dépenses de nos cellules sont continues. Il y a donc une mise en réserve qui se fait sous forme

de graisse   7 kg chez l'homme - 10 à 15 kg chez la femme

de glycogène
    — dans le foie :
    (75 g environ pour un homme de 70 kg)
    — dans le muscle :
    (200 g environ pour un homme de 70 kg)

Besoins d'éléments bâtisseurs

Pour constituer les masses musculaires et osseuses. Ces éléments sont formés par les protides et le calcium.

---

* Kilocalorie : la quantité de chaleur nécessaire pour élever de 1°C 1 kg d'eau de 14,5°C à 15,5°C dans le système (M kg S). 1 Calorie = 4,184 joules.

1) Les protides peuvent être de deux origines.

— animales : lait, fromages, œufs, viandes, poissons.

— végétales : céréales, légumes secs.

Ces protides d'origine animale et végétale ne jouent pas les mêmes rôles vis-à-vis de l'organisme. Notre organisme a besoin de certains constituants des protides qu'il ne peut pas synthétiser ; il les utilise tels quels : ce sont les « acides aminés indispensables ». Ceux-ci se trouvent en proportions correctes pour être utilisés par l'organisme humain en particulier dans les aliments d'origine animale : lait, viandes, poissons, œufs. Certains aliments d'origine végétale sont dépourvus d'un ou plusieurs de ces acides aminés : on dit dans ce cas-là qu'un aliment comporte un « facteur limitant ».

2) Le calcium.

Le calcium est à l'origine de la constitution du squelette et des dents. Sa principale source alimentaire est le LAIT et les produits laitiers ; on en trouve également dans certains légumes et fruits : choux, cresson, haricots verts, carottes... mandarines, pamplemousses, citrons, cassis...

D'autres minéraux, phosphore, fer, sodium, qui sont également indispensables pour l'édification du squelette et le fonctionnement de l'organisme.

Besoins de substances d'utilisation que sont les VITAMINES

Ce sont des substances très actives qui agissent en petites quantités au niveau de nos cellules. Elles permettent le déclenchement des réactions chimiques. Et sont donc indispensables pour l'organisme. De plus, le manque d'une vitamine empêche l'utilisation de plusieurs autres et peut ainsi entraîner de nombreux troubles.

En pratique : nous devons tous les jours consommer les vitamines dont l'organisme a besoin et que seule l'alimentation lui fournit. (Voir chapitre suivant).

les caractéristiques des aliments

Les aliments sont classés en fonction de leur intérêt nutritionnel, c'est-à-dire en fonction de leurs aptitudes à couvrir les besoins de l'organisme humain.

Selon Lucie RANDOIN, *I.S.A.* (Institut Supérieur de l'Alimentation, ex-Institut Scientifique d'Hygiène Alimentaire, 16, rue de l'Estrapade, Paris 5e), cette classification est la suivante.

Groupe I - laits et fromages

Ce sont les produits laitiers : Ils ont trois apports principaux :
Calcium
Protides
Vitamines A et B.

Les protides du *lait* contiennent tous les acides aminés indispensables : c'est « l'aliment indispensable » pour tous et en particulier pendant la période de croissance.

Les *fromages* sont très nombreux en France et permettent de varier nos menus. Ils sont faits à partir de lait plus ou moins déshydraté, d'où leur teneur variable en calcium, protides, lipides, minéraux et vitamines.

LES RATIONS JOURNALIÈRES CONSEILLÉES SONT ÉVALUÉES AINSI :

lait + fromage :

3- 6 ans	1/2 litre +	20 g de fromage
7-10 ans	1/2 litre +	20 g de fromage
10-12 ans	1/2 litre +	30 à 40 g de fromage
13-15 ans	1/2 litre +	40 g de fromage

adolescents :

• garçons 16-20 ans	3/4 de l +	50 g de fromage
• filles 16-20 ans	1/2 litre +	40 g de fromage
adultes	1/3 de l +	40 g de fromage

Groupe II - viandes - œufs - poissons

Quatre apports principaux sont à noter :

   Protides

   Minéraux

   Vitamines du groupe A : Foies de génisse, porc, agneau et veau.

   Vitamines du groupe B

   B1 et B2 se trouvent surtout dans le porc.

Les protides des viandes, poissons ou œufs, sont d'excellentes valeurs biologiques : ils contiennent tous les acides aminés indispensables, qui sont les constituants de base de nos cellules.

EQUIVALENCE PROTIDIQUE :

100 g de VIANDE = 100 g de POISSON = 2 œufs de 55-60 g envir.

100 g de viande du point de vue protidique peuvent être remplacés par :	— 80 g de jambon maigre — 1/2 l de lait — 4 yaourts — 60 g de gruyère — 90 g de camembert

RATIONS JOURNALIÈRES CONSEILLÉES :

3- 6 ans	90 g de viande ou équivalent
7-10 ans	120 g de viande ou équivalent
11-14 ans	150 g de viande ou équivalent
14-20 ans :	
filles	180 g de viande ou équivalent
garçons	220 g de viande ou équivalent
adultes	150 g de viande ou équivalent

REMARQUES SUR LES VIANDES :

Toutes les viandes blanches ou rouges, bien cuites ou saignantes, ont le même intérêt nutritionnel.

Les viandes braisées, bouillies, en sauces, ont les mêmes valeurs que les viandes grillées mais elles sont moins digestes à cause :

— de la quantité de matières grasses qu'elles contiennent,

— du mode de cuisson.

Les abats (foie, cœur, rognons) ont une supériorité vitaminique par rapport aux viandes. Il est recommandé d'en consommer au moins une fois par semaine.

Les produits de charcuterie (saucisse, saucisson, pâté, rillettes) sont beaucoup plus riches en matières grasses que les viandes. Ces aliments sont très énergétiques et ne sont pas aussi riches que les viandes en protides. Ils ne seront pas donnés aux enfants en bas âge et, puisqu'ils ne sont pas indispensables, ils seront consommés sans excès.

LES ŒUFS :

Les intolérances vraies sont rares ; seuls les modes de préparation avec des matières grasses rendent les œufs indigestes. Les œufs peuvent être mal supportés lorsque la vésicule biliaire est perturbée par des « calculs ». On peut consommer de 4 à 6 œufs par semaine, selon l'âge, sans inconvénient.

Note : les appellations « coque », « œuf du jour », sont sans signification et ne présentent aucune garantie de fraîcheur.

Les œufs sont classés légalement :
Catégorie A .... œufs frais
œufs extra-frais
Catégorie B .... œufs conservés et utilisés surtout par les industries, pâtissiers...

LES POISSONS

Ils ont la même valeur moyenne en protides que les viandes et les œufs, mais ils sont plus digestes car ils sont moins riches en matières grasses. Sur le plan nutritionnel le poisson frais est identique au surgelé.

Il est conseillé d'en consommer de une à deux fois par semaine.

Les poissons peuvent être classés en :

poissons gras : thon, hareng, maquereau, anguille, saumon ;

poissons demi-gras : alose, baudroie = lotte, rouget, congre, carpe d'élevage, orphie ;

poissons maigres : aiglefin, bar, brème, brochet, cabillaud, carpe, carrelet, colin = merlu, dorade, grise ou rose, gardon, grondin, lieu jaune et noir, limande, sole, mulet, perche, plie, raie, rascasse, roussette, sandre, sole, truite, turbot.

Pour les enfants, il est conseillé de donner de préférence des poissons maigres deux à trois fois par semaine. Les choisir très frais.

Groupe III - féculents - sucres - produits sucrés

Pain - Farines de céréales : pâtes, semoules, biscottes, biscuits, pâtisseries.

Riz

Légumes secs

Pommes de terre

Banane

Châtaigne

Fruits secs : amandes, noix, noisettes, figues sèches, dattes.

Leurs apports principaux sont : Energie, sous forme de Glucides.

Minéraux • phosphore, dans les céréales et les légumes secs ;
   • fer, dans les lentilles et pois cassés ;
   • potassium dans la pomme de terre.

Vitamines • du groupe B dans les céréales complètes, ce qui facilite leur assimilation ;
   • C, dans les pommes de terre nouvelles (14 mg pour 100 g), dans les châtaignes (50 mg pour 100 g).

RATIONS MOYENNES CONSEILLÉES PAR JOUR :

	pommes de terre (pâtes, riz)*	céréales, légumes secs	pain	sucre et produits sucrés
3- 6 ans ..	200 g	40 g	100 g	40 g
7-10 ans ..	250 g	40 g	200-250 g	40 g
11-14 ans ..	300 g	50 g	250-300 g	45 g
14-20 ans ..	350-400 g	75 g	250-500 g	50-60 g
adultes	300-350 g	50-80 g	200-350 g	25-50 g

* Poids cuit, soit environ 4 fois le poids cru.

100 g de pain
peuvent être
remplacés,
du point de vue
énergétique
(c'est-à-dire
en calories)
par :

— 70 g de farines de céréales poids cru flocons d'avoine poids cru
— 70 g de biscottes
— 60 g de biscuits secs
— 80 g de pain d'épices
— 70 g de pâtes alimentaires poids cru
— 75 g de riz poids cru
— 75 g de légumes secs poids cru (haricots, lentilles, pois secs)
— 350 g de pommes de terre en poids brut
— 150 g de châtaigne
— 90 g de fruits secs (dattes, figues, pruneaux).

70-75 g de pâtes ou de riz correspondent à une portion de féculents dans un plat principal.

REMARQUES :

Le chocolat est intéressant sur le plan nutritionnel par sa teneur en sels minéraux : potassium, phosphore, magnésium ;
glucides - lipides - protides
vitamines groupes B et PP.

Pour les enfants, la consommation moyenne peut être de 10 g par jour.

Groupe IV - végétaux frais

Légumes frais de saison ou conservés — (« les conserves »)
— surgelés
et fruits frais.

Leurs apports principaux sont :

Eau, parfois plus de 80 %, ce qui est très important puisque notre organisme a besoin de 2 litres d'eau par jour en moyenne (eau de constitution des aliments et eau de boisson) ;

Vitamine C

Vitamine B qui sont présentes dans tous les légumes

Minéraux : fer, calcium, phosphore, sodium, potassium, iode, cuivre, magnesium ;

Glucides

Cellulose

	légumes frais de saison ou conservés	fruits
3- 6 ans	200 g	100 g
6-10 ans	250 g	150 g
10-14 ans	275 g	150 g
14-20 ans filles	300 g	175 g
garçons	350 g	200 g
Adultes	300 g	150 g

Besoins quotidiens en vitamine C :

4- 9 ans	50- 60 mg
10-12 ans	75 mg
13-20 ans filles	80 mg
garçons	90-100 mg
Adultes	75 mg

— Quelques teneurs en vitamine C des légumes et des fruits :

Pour 100 g d'aliments,

240 mg persil
150 mg cassis
100 mg cresson
120 mg mâche, fraise
50 à 100 mg poivrons, chou rouge, chou vert, chou-fleur
40 - 50 mg orange, pamplemousse, citrons, mandarine
30 40 mg ananas, groseille
20 - 30 mg tomates, pommes : reinette du Mans
10 - 20 mg cerises, radis, oignons, pomme : Belle de Boskoop
< à 10 mg melon, abricot, pêche, poire, raisin, prune, carotte, pommes : starking, golden, concombre, laitue.

Groupe V - matières grasses

Leurs apports principaux sont :

Energie = Lipides
1 g de lipides = 9 calories

Vitamines A et D
dans le beurre

3- 6 ans	20 g
6-10 ans	20 g
10-14 ans	25 g
14-20 ans filles	30 g
14-20 ans garçons	40 g
Adultes	20 g

Ration journalière d'huile conseillée

Huile et autres corps gras :

3- 6 ans	10 g
6-10 ans	15 g
10-14 ans	15 g
14-20 ans	15-25 g
Adultes	25 g

En pratique : une cuillère à soupe d'huile = 20 g.

Groupe VI - boissons

Le besoin en eau est un besoin physiologique : nous pouvons vivre plusieurs jours sans manger, mais nous ne pouvons pas rester sans boire.

Ce besoin est couvert par :
— l'eau de constitution des aliments ; ce taux est variable en fonction de l'aliment
   0 % dans l'huile et le sucre,
   85 % dans les fromages frais,
   90 % dans certains légumes et fruits.
— l'eau de boisson.

Quantité de boisson conseillée par jour

de 1 l à 1,5 l par jour.

Remarques :

— Ne pas empêcher un enfant de boire lorsqu'il revient de l'école. L'atmosphère des classes est très sèche par manque d'hydratation (saturateurs absents au niveau des radiateurs).

— Eviter qu'il ne boive de grandes quantités d'eau (plus de deux verres) avant les repas, ce qui provoquerait une dilution des sécrétions digestives et couperait l'appétit.

BESOINS EN EAU DE L'ORGANISME

G. Pequignot, Information Diététique, n° 4, 1976 :

pertes obligatoires		compensation	
Urinaires	700 ml		
Fécales	150 ml	Aliments	1 100
Pulmonaires ..	400 ml	Eau métabolique	400
Cutanées	500 ml	Boissons	1 000
Additionnelles . 500 à 1 000 ml			

Tableau récapitulatif ▶

VALEUR NUTRITIVE DES ALIMENTS

Tableau ▶

MOYENNE DE CONSOMMATION
POUR LE REPAS PRINCIPAL

VALEUR NUTRITIVE DES ALIMENTS

Tableau récapitulatif

groupe d'aliments	apports nutritionnels principaux	et leur rôle
lait	protides animaux calcium	matériaux de construction
fromages	vitamines A et D et vitamines du groupe B	substances d'utilisation
viande poisson œufs	protides animaux vitamines du groupe B vitamines A dans les foies	matériaux de construction substances d'utilisation
féculents	glucides complexes	matériaux combustibles fournisseurs d'énergie après plusieurs étapes de digestion
produits sucrés	glucides simples	matériaux combustibles fournisseurs d'énergie après une seule étape de digestion
légumes frais de saison ou conservés fruits	vitamines C, minéraux et cellulose	substance d'utilisation et régulation du transit intestinal
matières grasses	lipides (vitamines A et D dans le beurre)	matériaux combustibles fournisseurs d'énergie

MOYENNE DE CONSOMMATION
POUR LE REPAS PRINCIPAL (en grammes) (1)

aliments en grammes poids net cru	Enfants		Adoles-cents	Adultes
	Mater-nelles	Primaires		
Produits laitiers : lait - yaourt - fromages frais	150	100 à 150	100 à 150	100
fromages	10	20	30 à 40	15
Viandes et équivalents viande - poisson - œufs	60 à 80	80 à 100	100 à 120	90 à 100
Féculents - Sucres pommes de terre	100	100 à 150	150 à 200	150
céréales, légumes verts,	20	20 à 25	40	30 à 40
pain	30	50 à 70	80 à 150	70 à 120
Végétaux frais légumes	100	100 à 150	150 à 200	150
fruits	50	80	100	80
Matières grasses beurre	5	5	10	5
huiles et autres matiè-res grasses	5	5 à 10	15 maxim.	10 maxim.

(1) I.S.A., 16, rue de l'Estrapade, Paris 5ᵉ

les règles de construction des repas

Pour que les besoins de notre organisme soient couverts nous devons lui assurer des quantités d'aliments suffisantes en les variant le plus possible. Définir des besoins selon des normes strictes et rigides n'est pas pensable. L'organisme individuel a un grand pouvoir d'adaptation.

On ne mange pas des protides, des lipides ou des glucides, mais des aliments qui contiennent ces nutriments et d'autres éléments qui satisfont nos besoins. Nous devons consommer des aliments de tous les groupes précédemment décrits.

En fonction du taux calorique global de la ration,
— les calories protidiques représentent   12 à 13 %,
— les calories lipidiques représentent   35 %,
— les calories glucidiques représentent   53 à 54 %.

Le petit-déjeuner

Il faut débuter la journée par un bon petit déjeuner, pour éviter à l'organisme de continuer à puiser dans ses réserves, ceci pour éviter en pratique le « coup de barre » de 10 h et d'éviter aussi de se jeter sur la nourriture à midi.

Les différentes possibilités sont à varier au maximum.

CÉRÉALES : farines mélangées

blé soufflé
flocons d'avoine
semoule de blé   }   incorporés au lait
riz au lait

pâtisseries sèches : pain au chocolat, quatre-quart, cake

pain
biscottes - goûters
pain grillé
pain complet

LAITS : entier pour les enfants ou demi-écrémé pour tous ceux qui ont des problèmes de ligne

ou

fromage frais
yaourt
fromages : voir les équivalences des produits laitiers p. 86
lait froid - lait aux œufs parfumé

BEURRE : source essentielle de vitamine A à consommer cru.

FRUITS : cuits ou crus
jus d'agrumes pressés : orange, pamplemousse
macédoine de fruits
compotes

Remarque : presser les fruits au moment de leur consommation pour protéger la vitamine C.

PRODUITS SUCRÉS : confiture, miel, selon appétit.

Voir en fin de chapitre des exemples de petit déjeuner.

Repas principal

Chaque repas principal doit comporter :
— Un plat principal de viande, poisson, œufs, légumes frais ou féculents en alternance d'un repas sur deux.
— Une crudité : légume cru ou fruit cru.
— Un produit laitier : lait, entremets, fromage.
— Complément énergétique du repas en fonction de l'âge, de l'activité physique, de l'appétit.

Voici quelques exemples de structures de repas convenant à tous. Ils sont digestes car ils évitent les accumulations de plats lourds. Il suffit d'adapter les quantités en fonction des catégories d'enfants et d'adultes auxquels on s'adresse.

EXEMPLES DE MENUS

STRUCTURES	Menu 1	Menu 1 bis	Menu 1 ter
1 Crudités Viande ou équivalents Légumes frais de saison ou conservés Fromage Compote de fruits	Carottes râpées à l'orange Foie d'agneau persillé Petits pois à la laitue Saint-Paulin Compote de pêches	Tomates et concombres à l'ail Entrecôte grillée Carottes à la Vichy Tomme de Savoie Pommes au four aux amandes	Céleri rémoulade Palette de porc rôtie Endives braisées Saint-Florentin Abricots et pruneaux cuits au sirop

STRUCTURES	Menu 2	Menu 2 bis	Menu 2 ter
2 Légumes cuits (entrée ou potage) Viande ou équivalents Féculents au lait (salés ou sucrés) Fruits	Artichauts Œufs à la coque Purée au lait et au gruyère (pour les enfants : jambon ou rôti de porc) gratinée Orange	Betteraves aux herbes Saucisse grillée Purée de pois cassés gratinée Fromage à tartiner Poire	Potage de légumes au parmesan râpé Poulet rôti aux champignons Riz au lait au zeste d'orange Clémentine

STRUCTURES	Menu 3	Menu 3 bis	Menu 3 ter
3 Crudités + fromage Viande ou équivalents Légumes frais + féculents Fromage Fruit cru ou cuit	Laitue à l'Emmental sauce vinaigrette Côte de porc Lentilles aux carottes Yaourt Macédoine de fruits de saison et de conserve	Endives au fromage et aux noix Navarin d'agneau et ses légumes (pommes de terre, carottes, navets) Bleu d'Auvergne Ananas frais	Salade du Chef (jambon, Emmental, laitue, tomates) Escalope de volaille Fonds d'artichauts sautés aux pommes de terre Glace à la vanille Mirabelles au sirop

STRUCTURES	Menu 4	Menu 4 bis	Menu 4 ter
4 Viande ou équivalents Légumes frais au lait au fromage Pâtisserie Crudités en entrée ou en dessert	Demi-pamplemousse Steack haché grillé Chou-fleur sauce Mornay (= béchamel au gruyère) gratinée Mille-feuilles à la groseille	Batavia aux pommes fruits Veau sauté Céleri à la béchamel au fromage, en gratin Génoise au chocolat	Omelette au fromage Courgettes et aubergines à la béchamel Cake Orange

Quelques exemples pour combiner déjeuners et dîners

Structures		Menus
Crudités Viandes ou équivalents Féculents Produits laitiers Fruits cuits	déjeuner	Coupe de pamplemousse Rôti de porc Flageolets aux herbes Yaourt Compote de fruits mêlés (pommes, poires, abricots secs)
Potages + féculents ou légumes cuits + féculents Complément protidique Légumes frais Produits laitiers Crudité = fruit	dîner	Bouillon aux petites pâtes ou potage de légumes aux pommes de terre Thon en salade Macédoine Camembert Banane
Féculents Viande ou équivalent Légumes frais Produits laitiers Fruits	déjeuner	Maïs au cervelas Steack haché à l'échalote Poireaux à la Mornay Cantal Pomme
Crudités Complément protidique Féculents Produits laitiers Fruit cru ou cuit facultatif	dîner	Salade de saison aux radis Bœuf braisé et macaroni aux olives Bleu des Causses Ananas frais
Plat composé Produit laitier Crudités : légume ou fruit	déjeuner	Choucroute garnie Crème renversée Orange
Légumes frais Complément protidique Produits laitiers + Féculents Crudité : fruit	dîner	Potage julienne de légumes Œuf au plat Purée au lait ou riz au lait ou semoule caramel Poire

Chaque semaine doit comporter :

• Un service d'abats nobles : foie, langue, cœur :
— sécurité vitamine A et groupe B ;
— sécurité minérale : Fer.

• Un service de légumes secs :
— sécurité vitaminique groupe B ;
— sécurité minérale : Fer, magnésium, cobalt, manganèse.

• Au maximum un plat de friture tel que frites, beignets.

• Au maximum une viande en sauce.

• Au maximum deux plats de charcuterie par semaine,
un en plat principal et un en entrée,
a réduire pour les enfants avant 6 ans.

Notions de digestibilité

Eviter l'accumulation de préparations grasses à un même repas
et d'un jour sur l'autre (qui favoriseraient les troubles cardiovasculaires, les hyperlipémies, l'obésité).

Exemples : • Rillettes et Bourguignon ;
• Friands et Choucroute ;
• Pâté, saucisse et frites,
et le lendemain sardines à l'huile.

Eviter l'accumulation de deux vinaigrettes à un même repas, ce
qui entraîne une surconsommation de matières grasses avec les
inconvénients décrits plus haut.

Qui dit Diététique ne veut pas dire crudités à outrance, car il y
a alors multiplication des apports en matières grasses.

Exemple : Carottes râpées vinaigrette en entrée et salade verte
vinaigrette après le plat principal.

Eviter l'accumulation des féculents à un même repas et d'un repas
sur l'autre. L'abondance de féculents favorise l'embonpoint et
l'obésité.

Exemple :
midi ... gougères au fromage
gigot de mouton aux haricots blancs
tarte à la semoule
soir ... potage aux pommes de terre
pâté de viande
gaufres

Eviter l'accumulation des légumes à goûts forts (¹), secs ou frais, à un même repas ou d'un repas à l'autre, ce qui provoque des fermentations intestinales importantes et des ballonnements.

Exemple :
- poireaux
- artichaut
- haricots blancs
- pois moyens, radis, salsifis, etc.

Eviter l'accumulation des légumes et des fruits aux propriétés laxatives qui provoquent des troubles digestifs par irritation de la muqueuse intestinale (diarrhée).

Exemple :
- melon
- épinards ou feuilles de blettes
- prunes, cerises ou raisin.

Remarques particulières pour les enfants de 2 à 6 ans :

Il faut adapter les menus familiaux aux possibilités digestives des petits. Il faut éviter de donner :

— les charcuteries :
- pâté, saucisse de Toulouse, porc gras, viandes grasses.

— Les plats en sauce et les viandes à fibres longues qui sont grasses et difficiles à mastiquer :

Exemple : Bourguignon
Coq au vin...

— Les aliments à goûts forts, tels que :
- choux, pois chiche, pois moyens, haricots blancs.

Une exception est faite pour la choucroute : légume qui a subi une fermentation avant cuisson ; c'est un légume digeste, intéressant pour ses apports en vitamine B2, en minéraux : potassium. Un plat de choucroute devient indigeste par les corps gras et la charcuterie qui sont utilisés pour la cuisson.

Exemples de fréquence du plat principal

Viande, poisson, œuf pour le repas de midi et le repas du soir pendant un mois (tableau ci-contre).

---

(1) Liste des légumes à goûts forts : céleri, chou, chou-fleur, chou de Bruxelles, concombre, artichauts, flageolets, haricots blancs, fenouil.

ALIMENTS	SEMAINES							
	1		**2**		**3**		**4**	
	midi	soir	midi	soir	midi	soir	midi	soir
VIANDE DE BŒUF, VEAU, MOUTON, CHEVAL								
• *1ʳᵉ catégorie*								
viande à rôtir	★		★					★
viande à griller				★	★		★	
• *2ᵉ catégorie*								
viande à braiser						★		★
viande hachée								
et grillée		★	★		★	★		
• *3ᵉ catégorie*								
viande en sauce			★				★	
viande bouillie	★				★			
Croquettes de viande								
(restes) hachis		★		★			★	
Parmentier								
PORC rôti			★		★			
braisé	★							
côtes							★	
LAPIN rôti et en sauce			★					★
VOLAILLE rôtie					★			
bouillie							★	
en escalope	★							★
CHARCUTERIE								
pâté				★		★		
saucisses		★					★	
jambon	★							★
ABATS NOBLES foie,				★			★	
cœur, rognons,					★			
langue		★				★		
ŒUFS coque		★						
dur		★						
omelette			★	★		★		★
POISSON au four			★				★	
au court-bouillon	★							★
en sauce				★				
pané		★						★
en conserve	★			★	★			
AUTRES ABATS cervelle						★		
LEGUMES FARCIS au bœuf, au porc...						★		

Remarques :

• Les quenelles, les raviolis, ne peuvent en aucun cas être considérés comme source de protides unique d'un repas, c'est-à-dire remplacer un plat de viande ou équivalents. Ces aliments sont à classer parmi les féculents dont ils sont voisins par leur composition.

• Le soir il s'agit toujours d'un complément protidique de la ration en fonction de l'âge et de l'activité. Revoir le tableau de l'I.S.A. sur les rations conseillées pour la journée p. 87.

Le goûter

Il ne doit pas être négligé. C'est un repas important pour les enfants ; il marque une coupure dans la journée et un changement d'activités.

Penser à donner à l'enfant une gourde avec de l'eau : l'enfant doit boire dans l'après-midi ; ou mieux fournissez-lui un gobelet qui lui permettra de boire au robinet installé dans la cour de récréation.

Si l'enfant goûte à l'extérieur de la maison, penser le soir à donner un supplément de lait ou de produit laitier au cours du repas, pour compléter sa ration de calcium.

Si l'enfant goûte à la maison, du lait chaud ou froid aromatisé ou non peut être donné en même temps que du pain-confiture; pain-beurre, fruits ; jus de fruits ; pain-d'épice-beurre ; pain-d'épice-fruits secs.

Nous donnons ci-après des exemples de goûter.

MENUS POUR ENFANTS DE 3 A 6 ANS

Journée complète

	LUNDI	MARDI	MERCREDI	JEUDI
Petit déjeuner	Lait aromatisé Chocolat Pain - Beurre - Miel	Lait aromatisé caramel Pain - Beurre Marmelade de pommes	Demi-pamplemousse Corn-flakes au lait sucré	Lait froid ou tiède Emmental Pain grillé Clémentine
Déjeuner	Radis beurre Emincées de foie d'agneau Haricots beurre persillés Fromage blanc au sucre vanillé Compote de pêches	Betterave au fromage blanc Steack grillé Petits paniers au beurre Edam Cerises	Laitue vinaigrette Lotte à la Bretonne Pommes de terre vapeur Yaourt Salade de fruits	Pommes de terre sauce aux herbes Escalope de volaille grillée Epinards béchamel Camembert Pommes (*) fruits en salade * Mettre un jus de citron sur les pommes pour ralentir le phénomène d'oxydation et apporter de la vitamine C la pomme étant un fruit pauvre.
Goûter	Fromage Saint-Paulin Pain Fruits secs Jus d'oranges pressées	Pain chocolat Jus de raisins	Biscuits = goûters (*) Un verre de lait (*) froid * Lait UHT-1/2 écrémé (paquet bleu).	Fromage blanc au sucre Jus de fruits
Dîner	Purée de légumes à l'Emmental Semoule au lait aux raisins secs Ananas frais	Tomates farcies au riz Crème renversée Pomme : golden	Carottes Vichy persillées Omelette à la gelée de groseille (sucrée) Poire	Petites pâtes au bouillon et au fromage Lait gélifié vanille Fruits mêlés (*) *Fruits frais et secs en salade : poire, pomme, raisins, amandes, noisettes.

	VENDREDI	SAMEDI	DIMANCHE
Petit déjeuner	Lait aromatisé vanille Orange Biscottes - Beurre	Yaourt nature au sucre Pain - Beurre Marmelade d'orange	Farinette (*) au chocolat Pain grillé Gelée de fruits Pomme * Maïzena au lait sucré aromatisé au cacao.
Déjeuner	Salade de cresson Hachis (*) Parmentier Fromage à tartiner Glace au chocolat * Bœuf bouilli, oignon haché, purée au lait.	Salade niçoise (*) Palette de porc demi-sel Lentilles aux carottes Demi-sel Pêche * Réalisée sans féculents, c'est-à-dire sans pomme de terre ni riz puisqu'il y a des lentilles en plat principal.	Jus d'agrumes Lapin sauté aux pommes fruit Riz à la mexicaine (*) Œufs à la neige meringue * Riz + maïs + raisins secs.
Goûter	Nonettes confiture = pain d'épices fourré confiture Lait gélifié	Pain - Beurre Edam Jus de pommes	Pain d'épices beurre Lait froid ou chaud
Dîner	Bouillon de légumes Gratin de courgettes Abricots pochés sur riz au lait	Soupe au lait Œuf coque (*) Artichaut Banane * Choisir un œuf « extra » bande rouge de 50 g et l'utiliser comme sauce pour manger l'artichaut.	Potage épais de légumes Quiche Lorraine Fromage blanc aux fraises

MENUS POUR ENFANTS D'AGE SCOLAIRE, 6-10 ANS (MOIS DE MAI)

Association déjeuner-dîner

LUNDI	MARDI	MERCREDI	JEUDI
Laitue au citron	Cresson et betteraves en salade	Lentilles aux herbes	Radis gros sel
Poule au pot et légumes	Carré d'agneau	Steak haché à la sauvage (2)	Foie de génisse persillé
Yaourt	Bonne femme	Jardinière de légumes	Purée de pommes de terre au lait
Oranges au four (1)	Glace aux fraises	Tomme des Pyrénées	Lait gélifié au chocolat
		Poire	Pomme
Carottes râpées	Potage vermicelle	Potage de légumes au parmesan	Salade mélangée sauce yaourt
Macaroni gratiné au four	Chou-fleur sauce Mornay	Œuf coque	Sardine au citron (3)
(cuisson dans du bouillon de poule)	Compote de pommes et de rhubarbe	Semoule au caramel	Cantal
Crème renversée au caramel		Jus d'agrumes	Pudding (4) aux bananes

VENDREDI	SAMEDI	DIMANCHE	
Carottes cuites et Cervelas vinaigrette	Tartelettes au fromage	Jus d'agrumes (6)	(1) Eplucher les oranges, les recouvrir de sucre et passer au four.
Filets de lieu à l'italienne	Côte de porc à la muscade	Palette de porc demi-sel	(2) En plus fines herbes et thym + romarin.
Paniers à l'Emmental	Epinards en branches aux croûtons	Choucroute et pommes de terre vapeur	(3) Egoutter les sardines et retirer la peau. Servir avec un jus de citron.
Glace vanille	Demi-pamplemousse au sucre	Lait caillé au sucre	(4) Le pudding est le plat calorique du repas. Il est fait avec du pain rassis, des œufs, du sucre, du lait et des rondelles de bananes.
Salade de fruits de saison			
Potage aux poireaux	Potage paysan	Légumes en purée au lait	(5) Avec bœuf sauté et tomates.
Tomates farcies au four	Carottes à la Carbonaro (5)	Doucette au thon et au citron	
Fromage blanc battu aux fraises	Soufflé à la vanille	Clafoutis aux cerises	(6) Suggestions d'apéritifs pour faire comme les grands: olives, noix, noisettes, amandes et pruneaux demi-secs.
Madeleines	Cerises		

106

MENUS POUR ADOLESCENTS (MOIS D'AVRIL)

Associations déjeuners-dîners pour adolescents

LUNDI	MARDI	MERCREDI	JEUDI
Laitue aux olives Morue aux pommes de terre sautées à la persillade Chaource Compote de poires	Tartelette macédoine Saucisse de Toulouse aux pommes fruits Edam Pomme	Betteraves et endives aux noix Sauté d'agneau aux carottes Saint-Paulin Pudding aux fruits confits	Batavia et laitue vinaigrette au yaourt (2) Steak grillé Frites Lait gélifié au caramel Pommes au four à la confiture
Potage aux pois cassés et aux croûtons Omelette aux lardons Haricots beurre sautés Yaourt nature et miel Orange	Carottes à l'orange Escalope de dinde au fromage (1) Coquilles au beurre Bleu d'Auvergne Pêches au sirop	Chou-fleur polonaise Filet de lieu Riz au safran Saint-Florentin Salade de fruits frais	Potage Camélia (3) Endives flamandes (au jambon sauce Mornay) Fromage fondu pour tartine Banane

VENDREDI	SAMEDI	DIMANCHE	
Assiette de crudités (4) Foie d'agneau persillé Purée tous légumes (5) Saingorlon Far breton	Cœur d'artichaut vinaigrette Poulet à la provençale Carottes braisées Semoule au caramel Orange	Coupe de pamplemousse aux crevettes Rosbeef à la ficelle Salsifis sautés Bûche mi-chèvre Petits choux à la crème au chocolat	(1) Cuisson à l'étouffée : à la poêle avec un couvercle. (2) Sauce au yaourt : sauce sans matières grasses car ensuite apport important avec les frites. (3) Potage passé servi avec blanc de poireau en julienne. (4) Radis, chou vert râpé, concombre.
Potage au cresson Œufs (6) mollets Gratin lyonnais Brie Poire	Mique (*) auvergnate et ses légumes Laitue vinaigrette Mimolette Pommes en salade aux pruneaux * Feuille de chou farcie avec viande maigre, pain, œuf, lard ; cuisson dans un bouillon de légumes.	Potage vert Couronne de riz au coulis de tomates (7) Glace à la vanille Ananas frais	(5) courgettes, carottes, bettes, sans pomme de terre puisqu'il y en a pour le soir. (6) Compter deux œufs de 50-55 g. (7) Riz au lait salé dans lequel on incorpore des œufs battus ; cuisson au bain-marie dans un moule couronne ; au centre on sert un coulis de tomate et des rondelles de tomate et des saucisses grillées.

MENUS POUR ADULTES (MOIS DE JUIN)

Associations déjeuners-dîners

LUNDI	MARDI	MERCREDI	JEUDI
Salade de Comté (2) à la moutarde	Laitue romaine persillée	Chou-fleur à l'indienne (4)	Lentilles rémoulade
Boudin aux deux pommes (1)	Escalope de volaille panée	Langue de bœuf écarlate	Lapin grillé
Yaourt	Gratin de bettes à la muscade	Coquillettes aux olives	Haricots verts au basilic
Fraises au vin	Mimolette	**Demi-sel**	Plateau de fromages
Eventail	Orange	Pêche	Pomme
Darne de cabillaud et épinards en branches	Fonds d'artichauts farcis (3)	« Aïgo Boulido » (5)	Carottes râpées aux olives
Tomme de Savoie	**Œufs cocotte**	Steak hâché	Gratin savoyard
Salade de fruits	Riz au lait	Tomates poêlées	Crème anglaise
	Abricots	Brie	Macédoine de fruits frais de saison
		Banane	

VENDREDI	Samedi	DIMANCHE
Paniers de tomates aux champignons de Paris	Salade rose (6) au yaourt	Tartelettes aux asperges
Maquereau au vin blanc	Rumsteack grillé	Brochettes de mouton
Polenta poêlée	Pommes de terre dauphine	Fricassée de légumes (8)
Bleu de Bresse	Cantal	Fraise à la crème
Fruits au sirop	Compote de poires	
Jus de fruits pressés	Potage de légumes	Bouillon aux croûtons
Carré de porc aux carottes	Croquettes (7) de viande à la laitue	Chartreuse de petits pois à la Clamart (9)
Clafoutis aux cerises	Lait gélifié	Reblochon
	Abricots	Pêche

(1) Purée de pommes de terre et de pommes fruits.
(2) Le Comté est le complément protidique du plat principal.
(3) Fromage blanc, champignons crus citronnés + jambon émincé, pomme, sel, persil haché.
(4) Sauce au curry + persil haché.
(5) Soupe à l'ail liée à l'œuf.
(6) Radis, tomates, raisins secs, amandes, sauce yaourt pour ne pas augmenter la teneur en matières grasses du repas.
(7) Restes de viande à hacher ; liaison béchamel épaisse.
(8) Carottes, haricots verts, tomates.
(9) Moule à charlotte tapissé de jambon garni de petits pois à l'oignon et d'un appareil à flan ; cuisson au bain-marie.

Remarque : pour le soir, compter un complément protidique de 60 à 70 g par personne, en fonction de la ration de viande du repas de midi.

conseils pratiques

A vouloir obtenir des repas équilibrés il ne faut pas toujours penser à « calories », balance de précision. Seules les erreurs répétées peuvent être à l'origine de troubles par excès ou par défauts. Pour cela il ne faut pas avoir de régimes d'exclusion, c'est-à-dire supprimer tel ou tel groupe d'aliments. Quant au goût, il doit être éduqué dès la petite enfance en proposant au bébé une très grande variété d'aliments.

En résumé il faut :

— Choisir une grande variété d'aliments.

— Cuisiner simplement des aliments sains. Ce qui n'exclut pas, bien au contraire, de temps en temps, une choucroute, un cassoulet, un ragoût. Mais donner la préférence habituellement aux aliments cuits au court-bouillon, à la vapeur en auto-cuiseur, au gril [1], à la broche, au four (dans des moules en pierre réfractaire, dans des papillottes de papier d'aluminium), dans des poêles à revêtement anti-adhésif.

— Savoir réduire les quantités de corps gras d'assaisonnement ; pour cela, essayer de préparer des sauces vinaigrettes à base de yaourt, de fromage blanc, en remplacement de l'huile.

— Filtrer le bain de friture après chaque emploi ; ne pas hésiter à le jeter après 4 ou 5 fritures si le corps gras devient visqueux et sombre.

---

[1] La propreté d'un gril est impérative. Il doit être nettoyé après chaque utilisation pour éviter la carbonisation des protides qui donneraient des substances toxiques et un goût amer aux viandes que l'on ferait cuire ensuite.

LEGISLATION EN MATIERE D'HYGIENE ALIMENTAIRE

« Journal Officiel », 26, rue Desaix, 75732 PARIS CEDEX 15

- Hygiène alimentaire dans les établissements publics universitaires et scolaires. Mesures de prophylaxie. Brochure 1411, 1975. Edition mise à jour au 11 décembre 1974.

- Sur les huiles : décret du 12 février 1973 paru au « Journal Officiel » du 15 février. Appellations et caractéristiques des huiles fluides.

- Arrêté du 26 juin 1974, « J.O. » du 31 juillet 1974, réglementant les conditions d'hygiène relatives à la congélation, la conservation et la décongélation des denrées animales ou d'origine animale.

- Arrêté du 26 juin 1974, «J.O. » du 16 juillet 1974, réglementant les conditions hygiéniques de préparation, de conservation, de distribution et de vente des plats cuisinés à l'avance. Brochure n° 74 163.

- Arrêté du 15 mai 1974, « J.O. » du 26 juin 1974, concernant les viandes hachées destinées à la consommation humaine. Brochure n° 74 150.

- Arrêté du 1er février 1974, J.O. du 20 mars 1974, réglementant les conditions de transport des denrées périssables.

- Circulaire n° 8947 du 30 juillet 1975 sur les problèmes de conservation et de décongélation des denrées animales ou d'origine animale.

- Circulaire n° 8074 du 29 avril 1976.

- Arrêté du 5 février 1977, « Journal Officiel » du 6 mars 1977 sur les conditions d'hygiène relatives aux viandes de volailles découpées à l'avance.

- Arrêté du 18 juillet 1977, « Journal Officiel » du 5 août 1977.

- Décret du 31 mars 1977 sur l'état de santé de l'hygiène du personnel amené à manipuler les denrées d'origine animale.

CONCLUSION

Pour l'instant rien n'engage à un optimisme béat, concernant le problème ici considéré. Des progrès constants s'opèrent cependant, même s'ils sont d'une extrême lenteur. Les instances officielles, notamment au Ministère de l'Education, se préoccupent de la question et envisagent quelques mesures positives. Depuis quelques années déjà, dans plusieurs départements, des diététiciennes ont été engagées à temps plein pour veiller à la nourriture distribuée par les cantines scolaires et par les internats. L'institution procède donc, peu à peu, à l'intégration régulière des paramètres nutritionnels.

Il convient cependant de remarquer qu'il s'agit plutôt d'une extension de la médecine scolaire que d'une prise en compte spécifique et véritablement pédagogique des problèmes de l'alimentation. Bien entendu, cela n'a rien de dévalorisant à nos yeux ; mais cela est significatif : la citadelle pédagogique n'a pas encore été réellement pénétrée comme elle devrait l'être. Si l'on veut bien admettre que, hormis les élèves, les enseignants constituent la population essentielle de l'institution scolaire, force est de reconnaître que sur la question nutritionnelle tout reste à faire à leur sujet.

Il n'y a pas là une situation vraiment surprenante. En effet, les transformations profondes et durables de l'institution éducative ont souvent été introduites par des « intervenants » relativement marginaux sur le plan pédagogique. Que l'on pense par exemple au travail des psychologues scolaires. Il est vraisemblable que, pour notre problème, l'évolution s'opérera de la même façon. Après être entrées à l'Ecole par semi-effraction, les modifications indispensables se diffuseront et entreront progressivement parmi les habitudes pédagogiques elles-mêmes. Elles seront intériorisées et iront de soi.

Sous cet angle là les enseignants que nous sommes se trouvent relativement démunis pour accélérer le processus. Pour l'essentiel en effet, les rênes nous échappent. L'influence utile que nous pouvons avoir consiste à favoriser au maximum cette évolution, c'est-à-dire à briser les résistances, notamment de type corporatif et idéologique, qui freinent jusqu'ici les adaptations nécessaires. Donner aux problèmes nutritionnels droit de cité dans l'univers scolaire, ne pas les rejeter péjorativement hors du champ clos de la pédagogie, ne pas les considérer comme des gadgets indignes, telles sont les premières attitudes à prendre. Elles s'apparentent plutôt à l'enlèvement d'obstacles qu'à une construction véritable, mais nous n'avons guère le choix, sauf à nous complaire dans les délices gratificateurs de l'utopie pour laquelle seule la revendication de l'absolu a une valeur.

Outre ce travail d'aide indispensable, il nous appartient également d'entreprendre un travail d'information systématique auprès des parents d'élèves. Ceux-ci, on le sait, sont en moyenne, sur le plan éducatif, d'un extrême conservatisme. Comme on l'a dit souvent, ils veulent retrouver leur école d'enfants dans l'école de leurs enfants. Mais, là encore, les choses commencent à changer, lentement et indiscutablement. Certains groupes constitués de parents font en particulier un effort réel pour promouvoir une pédagogie moderne, ouverte sur le monde actuel, et libératrice.

Dans les échanges qui, de plus en plus nombreux, s'instaurent entre l'institution scolaire et les parents d'élèves, la réflexion concernant les problèmes nutritionnels doit prendre place. C'est une prise de conscience qu'il s'agit de créer. Montrer l'importance de ceux-ci et, surtout, leur influence sur le comportement psychopédagogique des enfants, serait de nature à mobiliser l'attention des parents, à les sensibiliser à la nécessité pour l'école de prendre en charge ces questions.

Le plus efficace consisterait sans doute (hélas ?) à promouvoir une campagne d'information sur le sujet par les grands media de diffusion (télévision, radio et journaux). Sans doute ne faut-il guère y croire dans l'immédiat, mais un effort mériterait cependant d'être tenté dans cette direction, notamment par le truchement des instances officielles. L'idéal, enfin, serait de provoquer une prise de conscience telle que les parents, dans la vie familiale même, intégreraient ces préoccupations. L'éducation nutritionnelle devrait en effet faire partie de la prime-éducation (antéscolaire). Il y a peu d'espoir de ce côté, car les obstacles bien connus (économiques et idéologiques surtout) semblent à la fois trop nombreux et trop puissants pour que quelque chose de notable puisse être obtenu.

Il faut remarquer cependant que les mouvements écologiques, au sens large, (lutte contre la pollution, connaissance de rythmes naturels, fidélité aux réalités de la nature, etc.) s'inscrivent dans cette perspective. A long terme, ils sont sans doute en mesure d'une part de sortir de leur marginalité, d'autre part de supprimer leurs côtés abusivement folkloriques en éliminant les slogans pour nantis désœuvrés. Dans de telles conditions, ils constitueront un atout décisif pour résoudre les problèmes que nous nous sommes posés ici, puisque ceux-ci sont aussi les leurs. En tout cas, l'existence même de ces mouvements, leur vivacité malgré les multiples oppositions qu'ils rencontrent, indiquent bien qu'une évolution profonde, irréversible, est en train de s'opérer. L'institution scolaire se trouve concernée au premier chef, et cette réflexion n'est donc pas une pure lubie de pédagogues-théoriciens.

Cependant, le dynamisme de l'environnement social, les efforts de mobilisation et de sensibilisation, ne suffiront jamais à transformer la cité éducative. Celle-ci doit elle-même prendre en charge les changements qui lui sont nécessaires : l'extérieur peut l'aider mais non pas la déterminer. C'est pourquoi notre voie d'approche majeure est, très clairement, celle des enseignants eux-mêmes. Ce sont eux qu'il nous faut viser parce qu'ils sont situés dans notre champ d'une part et que, d'autre part, ils constituent un passage obligé pour toute modification éducative véritablement profonde et durable. Cela signifie en particulier que leur puissance est telle en ce domaine qu'ils sont en mesure d'annuler une évolution pourtant nécessaire s'ils n'en partagent pas les options.

Il est impossible de travailler sans eux et cela, en outre, ne coïnciderait guère avec notre propre visée. C'est donc vers eux qu'il convient de se tourner, avec eux qu'il importe de collaborer. Leur information, initiale surtout, mais aussi continue, forme à cet égard le lieu le plus approprié pour mener une action féconde. Pour notre problème comme pour les autres, le système pédagogique vaut ce que vaut la formation de ses enseignants.

La nutrition et l'alimentation doivent non seulement apparaître comme dimensions essentielles du processus éducatif global, mais aussi comme éléments proprement pédagogiques importants. Les enseignants ont à savoir comment insérer ces préoccupations dans leur pratique professionnelle quotidienne et, notamment, selon quelles modalités chaque discipline habituelle du cursus scolaire se trouve confrontée à la réalité de cette question. Il ne s'agit pas d'accumuler des savoirs mais de construire des attitudes (même si, de toute évidence, les secondes ne peuvent s'élaborer sans les premiers).

La voie qui se dessine ainsi est d'ailleurs mitoyenne entre l'école comme préparation à la vie réelle journalière, empirique, et l'école comme lieu institutionnel d'acquisition d'un stock culturel (relativement indépendant, sur le plan technique, des nécessités de l'existence pratique). L'éducation nutritionnelle n'est pas une initiation balbutiante à la médecine, par exemple ; elle vise à rendre l'apprenant capable de maîtriser un certain nombre de relations avec son environnement et avec son corps ; mais, ce faisant, elle ne saurait se réduire aux « recettes de la tante Louise » et, dans ces conditions, l'élève pourra s'en servir en divers domaines (y compris éventuellement les études médicales et, en tout cas, dans les relations qu'il aura inévitablement à entretenir avec la médecine et les médecins).

Pour rendre efficiente une formation des enseignants réellement adéquate à notre propos, il est indispensable de viser l'ensemble du système pédagogique de l'enseignement obligatoire. De l'école maternelle jusqu'à la sortie de l'enseignement secondaire, en passant par l'école primaire et les écoles normales, il importe de conduire une véritable éducation nutritionnelle qui soit autre chose qu'une accumulation de savoirs juxtaposés (défaut quasiment congénital, comme on sait, de notre institution éducative).

Des instruments pédagogiques doivent également être prévus et mis à la disposition des établissements scolaires. En particulier, une documentation abondante et variée concernant tous les problèmes de la nourriture est absolument nécessaire. Beaucoup d'outils existent déjà, à ce sujet, mais presque toujours dans le domaine non-scolaire. Il serait donc utile que ces ressources de base soient utilisées et adaptées aux besoins pédagogiques. L'évolution (extra-scolaire) en fera bientôt, d'ailleurs, une obligation à notre système éducatif qui, une fois de plus, sera amené à se transformer par des pressions extérieures.

Tout semble en effet indiquer que le domaine de la nutrition fera sous peu partie de la culture de base réclamée par un individu : il s'imposera donc à notre école. Ce qui est à mettre en place, dans l'ensemble de la population, c'est une attitude intellectuelle nouvelle à l'égard des phénomènes alimentaires dans leurs diverses modalités : biologiques, géologiques, sociologiques, économiques, etc. L'important consisterait pour l'instant à convaincre les enseignants que ce secteur de la culture est devenu aussi nécessaire à l'individu que les mathématiques et l'apprentissage des langues. Il s'inscrit dans les comportements requis par l'homme vis-à-vis de son environnement.

Dans ces conditions il serait urgent de sensibiliser et de mobiliser les pédagogues pour coordonner leur action avec celles qui peu à peu se construisent dans la société globale : associations de consommateurs, groupements écologistes, diététiciens, etc. L'institution scolaire a en effet une fonction spécifique à remplir, mais celle-ci doit être articulée adéquatement avec l'état même du développement de la société à propos du thème considéré. C'est pourquoi, entre autres raisons, la multiplication des spécialistes de la diététique scolaire constitue un besoin essentiel : chaque établissement devrait être « suivi » sur le plan de la diététique, et de l'éducation nutritionnelle en général.

Les difficultés, dans ce projet d'ensemble, sautent aux yeux ; les résistances seront multiples, tenant à l'aveuglement, à l'ignorance, à l'indifférence, mais aussi à la défense consciente de privilèges économiques et sociaux. Mais il en a toujours été ainsi pour les nouveaux territoires éducatifs : que l'on pense, notamment, aux difficultés avec lesquelles l'enseignement des sciences a été introduit dans notre système scolaire. Des obstacles sérieux sont à vaincre, mais ils peuvent être abattus si la communauté éducative prend conscience de la véritable portée du problème.

C'est pourquoi, en dernier ressort, il s'agit d'une option philosophique à prendre. Se nourrir c'est soigner son corps, s'interroger sur l'ensemble des phénomènes de nutrition c'est privilégier les aspects matériels du monde ; au total c'est parier qu'un individu, dans son essence même, dépend de sa corporéité, qu'une société n'est jamais indépendante de ses assises matérielles. Le monde de l'école n'est guère préparé à partager de telles options qui contredisent si fortement ses valeurs explicites : tout le problème est de savoir si nous aurons la volonté, aujourd'hui, de jeter aux orties notre angélisme, notre tentation du prophétisme, nos habitudes de confondre théologie et pédagogie.

BIBLIOGRAPHIE

Manuel élémentaire d'alimentation humaine. Professeur Jean TRÉMOLIÈRES, Yvonne SERVILLE, Raymond JACQUOT. Tome 1 : Les bases de l'alimentation. Tome 2 : Les aliments. Ed. E S F.

Diététique et Art de Vivre. Professeur Jean TRÉMOLIÈRES. Guides Pratiques Seghers.

Partager le pain. Professeur Jean TRÉMOLIÈRES. Robert Laffont.

L'Alimentation des Français. Evolution et problèmes nutritionnels. Docteur Henri DUPIN. Editions E S F.

Les Aliments, par Henri DUPIN. Collection « Que sais-je ? », Presses Universitaires de France, n° 22.

Les rations alimentaires équilibrées, par Lucie RANDOIN et collaborateurs. Librairie Lanore, 12, rue Oudinot, 75012 Paris.

Pratique de l'alimentation en collectivité. Maurice AUBIN. Ed. E S F.

Précis d'hygiène alimentaire. Hélène STEVENS. Editions E S F.

L'alimentation familiale. Yvonne SERVILLE. Editions E S F.

L'alimentation de l'enfant. Yvonne SERVILLE. Editions E S F.

Vitamines. F. HOFFMANN. La Roche et Cⁱᵉ, 10, rue Crillon, 75004 Paris.

Sachez bien nourrir votre famille. Société Scientifique d'Hygiène Alimentaire, 16, rue de l'Estrapade, 75005 Paris.

En forme, *Diététique d'Aujourd'hui mensuel,* 15, avenue Gourgaud, 75017 Paris.

Le particulier. Octobre 1974, n° 464 A. Spécial Diététique, par Brigitte DE KYSTPOTTER, 21, Bd Montmartre, 75082 Paris Cedex 02.

Le lait et les produits laitiers. SOPEXA : Société pour l'expansion des ventes des produits agricoles et alimentaires, 43-45, rue de Naples, 75008 Paris.

Information diététique. Revue de l'Association des Diététiciennes de Langue Française.

« *Les Corps gras Alimentaires* », brochure éditée par SODAN, 100, avenue des Aygalades, 13014 Marseille.

MÉTHODE JEANNOT :
— Manuel 1 : Face à... l'écriture.
— Manuel 2 : Face à... la lecture et à l'orthographe.

GEORGES LAPASSADE, RENÉ SCHÉRER : Le corps interdit. Essais sur l'éducation négative.

LAURENCE LENTIN :
— Tome 1 : Apprendre à parler à l'enfant de moins de 6 ans.
— Tome 2 : Comment apprendre à parler à l'enfant.
— Tome 3 : Du parler au lire.
— Apprendre à parler en racontant : Pauline et Victor.
  (Hors collection, ISTRA-ESF).

MICHEL LOBROT :
— Les effets de l'éducation.
— Troubles de la langue écrite et remèdes.
— Lire.
— Les difficultés sexuelles de l'adulte.

JEAN-NOEL LUC : L'Histoire par l'étude du milieu.

FRANÇOIS MARIET, CLAUDE MOREAU, LOUIS PORCHER : Les classes de nature : classes de mer, classes de neige, classes vertes.

FRANÇOIS MARIET, LOUIS PORCHER : Apprendre à devenir citoyen à l'école.

JANINE MÉRY : Pédagogie curative scolaire et psychanalyse.

PAULE PAILLET : Le psychologue à l'école.

LOUIS PORCHER :
— Chemins dans le labyrinthe éducatif.
— Education esthétique et formation des instituteurs.

GEORGES PRÉVOT : La coopération scolaire et sa pédagogie.

MAXIME PRUDHOMMEAU : Dépistage et prévention des inadaptations scolaires.

CLAUDE PUJADE-RENAUD :
— Expression corporelle langage du silence.
— Danse et narcissisme en éducation.

CLAUDE PUJADE-RENAUD, DANIEL ZIMMERMANN : Voies non-verbales de la relation pédagogique.

FRANÇOIS TERS : Orthographe et vérités.

A.-A. TOMATIS :
— Education et dyslexie.
— La libération d'Œdipe.
— Vers l'écoute humaine (2 tomes).

RAYMOND TORAILLE : L'animation pédagogique.

CLAUDE VEIL, GENEVIÈVE BEAUCHESNE, CATHERINE VEIL-BARAT : L'école folle ou le cercle vicieux de l'inadaptation scolaire.

GUY VERMEIL : La fatigue à l'école.

JEAN VIAL : L'école, cap 2001...

DANIEL ZIMMERMANN :
— Recherche pédagogique dans une classe de perfectionnement.
— La rééducation, pour quoi faire ?

AVNER ZIV, JEAN-MARIE DIEM : Psychopédagogie expérimentale.

OUVRAGE COLLECTIF : Les mouvements de rénovation pédagogique par eux-mêmes.

SÉRIE QUESTIONS-RÉPONSES SUR...

— Questions-réponses sur l'école maternelle.
— Questions-réponses sur le cours préparatoire.
— Questions-réponses sur les cours élémentaires.
— Questions-réponses sur les cours moyens.
— Questions-réponses sur l'entrée en Sixième.
— Questions-réponses sur la scolarisation des enfants de travailleurs migrants.
— Questions-réponses sur l'enseignement technique court.
— Questions-réponses sur l'éducation physique et sportive.

SÉRIE L'ECOLE COMME ELLE VA :

PIERRE-BERNARD MARQUET : L'enseignement ne sert à rien.

JEAN VIAL : Journal de classe (1927-1977).

HORS COLLECTION :

C. MAROZI : Pédagogie et organisation de l'enseignement spécialisé (co-édition ESF-S.U.D.E.L.).

JEAN VIAL : La pédagogie au ras du sol.

Achevé d'imprimer sur les presses Lienhart et Cie en octobre 1978 de l'imprimerie à Aubenas

DÉPÔT LÉGAL : 4e TRIMESTRE 1978

NUMÉRO D'ÉDITION : 1072 ED 874

Imprimé en France